D1082014

LA LOI
DE LA CITÉ

ELMORE LEONARD

LA LOI DE LA CITÉ

Traduit de l'américain
par Fabienne Duvigneau

belfond
12, avenue d'Italie
75013 Paris

Titre original :
CITY PRIMEVAL

Si vous souhaitez recevoir notre catalogue
et être tenu au courant de nos publications,
envoyez vos nom et adresse, en citant ce livre,
aux Éditions Belfond,
12, avenue d'Italie, 75013 Paris.
Et, pour le Canada, à
Édipresse Inc., 945, avenue Beaumont
Montréal, Québec H3N IW3.

ISBN 2.7144.3314.6

A Joan

Affaire Alvin B. Guy, juge au tribunal de première instance de la ville de Detroit.

L'enquête menée par le Conseil supérieur de la magistrature a déclaré le prévenu coupable d'avoir manqué à la dignité requise par l'exercice de ses fonctions et de s'être conduit de manière hautement préjudiciable à l'administration de la justice. En vertu de la plainte circonstanciée, il est rapporté :

1) que le juge Guy s'est montré incorrect et injurieux envers l'avocat, les parties, les témoins, le personnel du tribunal, l'assistance et les journalistes ;

2) qu'il a usé de menaces d'emprisonnement et de promesses de mise en liberté surveillée afin d'inciter l'accusé à plaider coupable ;

3) qu'il a abusé de son pouvoir discrétionnaire ;

4) qu'il a utilisé les pouvoirs relatifs à ses fonctions afin de servir l'intérêt de ses amis et connaissances ;

5) qu'il s'est vanté en public de ses exploits sexuels ;

6) qu'il s'est comporté à plusieurs reprises de manière irrespectueuse ; qu'il a ainsi porté préjudice non seulement à l'administration de la justice, mais aussi au respect que requiert la fonction de juge.

Ensemble de témoignages.

Le 26 avril, le juge Guy a intercédé en faveur de Tyrone Perry, déjà condamné à deux reprises pour trafic de stupéfiants. Pendant que l'on interrogeait M. Perry, témoin d'un meurtre commis à son domicile, et suspect éventuel, le juge Guy s'est présenté au bureau 527 du siège de la police, a déclaré qu'il « se chargeait de juger cette affaire », et a intimé aux inspecteurs qui conduisaient l'interrogatoire l'ordre de renvoyer le témoin. Le sergent Gerald Hunter objecta que ce procédé lui paraissait abusif. Le juge Guy le prit alors par le bras et le poussa contre un bureau. Comme le sergent Hunter protestait contre un tel traitement, le juge Guy déclara, devant témoins : « Je fais ce que je veux, quand ça me chante. C'est *ma* salle d'audience, et si vous n'êtes pas d'accord, je vous inculpe d'outrage à magistrat. » Il quitta ensuite les bureaux de la police en compagnie de M. Perry.

Selon un autre témoignage, le prévenu usa de paroles déplacées lors d'un autre incident qui l'opposa à un officier de police :

Au cours d'une instruction dont avait été chargé le prévenu, Mlle Marcella Bonnie, l'un des trois coinculpés, avait obtenu un non-lieu. Tandis que le juge Guy s'entretenait des suites du procès avec le sergent Wendell Robinson, de la police judiciaire, il raconta qu'il avait fait la connaissance de Mlle Bonnie dans un bar, puis passé la nuit avec elle. Il ajouta qu'elle était « super-sexy » et que « on ne tirait pas un bon coup comme ça tous les jours ».

Le sergent Robinson fut très surpris, et choqué, d'entendre un juge se vanter d'une relation sexuelle avec une personne dont il venait de juger le cas. Il s'occupa donc de rédiger un compte rendu de l'incident, et le fit parvenir à ses supérieurs.

Ayant pris connaissance de ce mémorandum, le prévenu ne cacha pas son hostilité, et déploya des efforts intempestifs pour dénigrer Robinson. En présence de témoins, il parla du sergent Robinson comme d'un « négro qui fait de la lèche aux Blancs pour qu'on oublie qu'il est tombé dans le cirage ».

Me Carolyn Wilder témoigna des événements qui se produisirent lors du procès de Cedric Williams :

Le 19 juin, pendant l'instruction, Me Wilder, avocat de la défense, avait annoncé que son client, accusé de crime sexuel et d'outrage à la pudeur, ne plaiderait pas coupable, même pour faits mineurs, et passerait en jugement. Le juge Guy pria cependant l'inculpé et son avocat d'approcher de son siège, et affirma que si l'inculpé consentait à plaider coupable pour coups et blessures, un simple délit, il serait mis en liberté surveillée et que l'on n'en parlerait plus. « Je suis comme vous, moi, un dur à cuire », dit-il à l'inculpé. « Votre avocat fout n'importe quoi. Ou alors, c'est qu'elle se moque bien de vos intérêts. » Là-dessus, il envoya l'inculpé et Me Wilder « se débrouiller entre eux » dans le hall.

Lorsqu'ils furent de retour dans la salle du tribunal, voyant que Me Wilder ne voulait pas renoncer, le juge dit à l'inculpé : « Ecoutez, vous feriez mieux de plaider coupable, sinon vous l'aurez dans le cul. » Lorsque Me Wilder répéta que son client ne plaiderait en aucun cas coupable pour coups et blessures, le juge Guy s'en prit directement à elle, et menaça de l'inculper d'outrage à magistrat. « Je comprends ce que vous manigancez, maintenant, dit-il. Vous voulez faire condamner votre client. Ça vous emmerde qu'un Noir se soit tapé le petit cul d'une Blanche, hein ? »

Dans une autre déposition, Carolyn Wilder rapporta que, lorsqu'elle voulut relever l'appel en lieu et place de l'un de ses confrères, Me Allan Hayes, le juge s'attaqua à elle pendant une demi-heure, la traita de « bourgeoise qui se mêle de défendre les pauvres petits nègres » et l'accusa d'avoir troublé l'ordre du tribunal.

« Je lui ai alors demandé s'il comptait m'inculper d'outrage à magistrat, raconta Me Wilder. Il ne répondit pas et continua ses admonestations. Lorsque Me Hayes prit place à son tour au banc de la défense, le juge s'adressa à lui en ces termes : « Expliquez donc à cette salope de Blanche à qui elle a affaire, dit-il. Faites-lui comprendre que je ne me laisserai pas faire par des petites merdeuses de son espèce. »

Quelque temps plus tard, le prévenu, un peu radouci, invita Me Wilder à sortir avec lui. Elle refusa, ce que le juge Guy accueillit par des propos injurieux et du plus mauvais goût, lui demandant si elle était lesbienne. Par la suite, chaque fois que Me Wilder se présenta au tribunal, elle eut à souffrir maintes attaques et tracasseries de la part du juge.

Le sergent Raymond Cruz, de la police judiciaire de Detroit, fut victime d'un incident qui témoigne à nouveau de l'abus de pouvoir dont fit preuve le juge Guy :

Le juge Guy avait ordonné d'enfermer un lycéen de douze ans dans la cellule des prisonniers, parce que l'enfant, alors en visite de classe, avait troublé l'ordre du tribunal. Le sergent Cruz, présent dans la salle à titre de témoin lors de l'instruction d'une affaire, suggéra au juge de mettre plutôt le jeune garçon au coin. Le juge s'emporta, inculpa le sergent Cruz d'outrage à magistrat et lui intima l'ordre de passer une heure dans la cellule avec l'enfant.

Un peu plus tard, l'audience étant suspendue, le juge Guy

dit au sergent Cruz, en présence de témoins : « J'espère que vous avez compris qui commande dans cette salle. » Le sergent Cruz ne répondit pas. Le juge ajouta : « C'est très facile pour moi de vous inculper d'outrage à magistrat. Alors, je vous conseille d'apprendre à la fermer, sinon je vous la fermerai, moi. »

Le sergent Cruz dit : « Votre Honneur, puis-je vous poser une question personnelle ? » « Allez-y, qu'est-ce que c'est ? » demanda le juge. « Vous ne craignez jamais pour votre vie ? » dit le sergent Cruz. « C'est une menace ? » demanda le juge. « Non, Votre Honneur, répondit le sergent Cruz, je me demandais simplement si l'on n'avait jamais essayé de vous infliger de graves lésions corporelles. »

Le juge Guy sortit alors un Smith et Wesson calibre 32 de dessous sa robe. « J'aimerais bien voir ça », dit-il.

Le dossier établit que le juge Guy s'est à plusieurs reprises montré incorrect envers des représentants de la presse, à qui il s'est adressé sur un ton indigne de la charge qu'il occupe. Sur ce point, l'enquête du Conseil supérieur rapporte :

« En salle d'audience et en présence de témoins, le juge Guy fit preuve, à l'égard de Mlle Marcus, journaliste au *Detroit News,* d'une impolitesse inacceptable... Il se lança dans une diatribe sans retenue contre son journal, qu'il qualifia de raciste, puis lui conseilla de ne pas “ déconner avec lui ”. »

Le Conseil supérieur de la magistrature a déclaré en substance :

« Attendu que l'audition des témoins fait apparaître qu'il ne suffit pas de rendre la justice, mais qu'il faut aussi en préserver l'image, afin que le respect envers la loi soit maintenu.

« Attendu que le juge Guy, de par sa conduite à l'égard de la loi, de par son comportement et de par ses mœurs, a montré qu'il était inapte à occuper une fonction judiciaire quelle qu'elle soit,

« En conséquence de quoi, nous demandons à la Cour suprême de destituer le juge Guy de ses fonctions de juge au tribunal de première instance de la ville de Detroit, et de lui interdire définitivement l'accès à toute charge judiciaire. »

Lorsqu'il eut pris connaissance du verdict rendu par le Conseil supérieur, le juge Guy, au cours d'une conférence de presse, qualifia l'enquête de « chasse aux sorcières, organisée par une presse raciste aux mains des Blancs ».

Dans la même déclaration, il accusa la police de Detroit d'avoir cherché à le tuer. Il n'apporta cependant aucune preuve que des tentatives avaient été dirigées contre lui.

Alvin Guy annonça que, si la Cour suprême le destituait de ses fonctions, il avait l'intention d'« écrire un bouquin extrêmement révélateur », où apparaîtraient les « noms de personnes aux mains sales et aux doigts souillés ».

« Souvenez-vous de ce que je vous dis, ajouta-t-il. Si on me limoge, il y a des têtes qui vont tomber. J'ai des noms qui vous surprendront. »

1

Un gardien du parking réservé au champ de courses de Hazel Park se rappelait que le juge était parti un peu après la neuvième course, vers une heure du matin. Il raconta ce qui s'était passé : il savait que c'était Alvin Guy qui conduisait la Lincoln Mark VI, parce qu'il avait vu le juge en photo dans le journal, et à la télé. La cinquantaine, la peau plutôt claire, avec une petite moustache effilée; des cheveux raides, soigneusement peignés, qui lui tombaient dans le cou.

L'autre voiture était une Buick. Ou peut-être une Olds. De couleur sombre. Il y avait une jeune dame avec le juge. Blanche, vingt-sept ans, dans ces eaux-là, quoi. Des cheveux blonds, longs. Bien sapée : un truc très flottant, dans les rose, avec plusieurs chaînes en or autour du cou. Son maquillage la faisait paraître toute pâle sous les néons. En plus, avec son rouge à lèvres foncé...

Le juge n'avait pas ouvert la portière pour la dame, avait précisé le gardien du parking. Il était monté directement de son côté, après avoir laissé un dollar de pourboire au gardien.

La Buick, ou l'Olds sombre (peut-être même qu'elle était noire), semblait assez neuve. Y' avait un type dedans, avec le bras posé sur le rebord de la fenêtre, enfin le coude, quoi, et sa manche courte était roulée une ou deux fois. Il avait un petit coup de soleil sur le bras, et des poils blonds un peu rouquins.

« Il a voulu se mettre devant la voiture du juge. Mais lui voulait pas le laisser passer, et il a continué à avancer. Alors la bagnole a foncé vers la barrière, tout au bout de la file de voitures. Il avait l'air plutôt pressé, le type. Il y a eu plein de coups de klaxon. Aucune voiture ne voulait céder le passage.

Les gens, ils venaient déjà de donner leur fric aux courses, pas question de donner encore autre chose. Il a dû réessayer de rentrer dans la queue, juste au moment où la voiture du juge arrivait à la barrière. Y' a eu un choc. Boum ! »

Everett Livingston, le gardien, avait alors regardé ce qui se passait. Mais personne n'était descendu de voiture. Visiblement, c'était le juge qui avait enfoncé l'aile de la Buick. Après, le juge avait reculé un peu, contourné la bagnole, et franchi la barrière. Sur Dequindre, il avait filé vers le sud, vers Nine Mile. L'autre avait dû caler parce qu'il s'était fait dépasser par beaucoup de monde. Et puis il avait fini par sortir. Après ça, le gardien n'y avait plus pensé, jusqu'à ce qu'il lise dans le journal ce qui était arrivé au juge.

En quittant le champ de courses, Clement n'avait qu'un but : ne pas perdre de vue Sandy et l'Albanais. Tant pis pour la Mark VI argent. D'abord suivre la Cadillac noire. Avec c't' Albanais cramponné à son volant comme un petit nerveux qui passe son permis de conduire... En plus, il décollait pas de la file du milieu. Ç'aurait dû être facile.

Sauf que la Mark ne faisait que lui barrer le passage.

Clement s'en foutait de s'être fait rentrer dedans. C'était pas sa bagnole. Ça le gênait pas non plus que le type de la Mark soit un moricaud avec une gonzesse blanche, enfin pas trop. Sûr que c'était un flambeur, ou alors il faisait dans la came. Si c'était ça qui lui plaisait, à la fille, un bougnoule avec une petite moustache de pédé, tant mieux pour elle. Depuis qu'il était arrivé à Detroit, Clement en avait vu à la pelle, des Noirs qui fricotaient avec des Blanches. Il n'ouvrait plus des yeux comme des soucoupes, maintenant.

Mais qu'est-ce qu'elle glandait sur la file du milieu, cette Mark VI, juste devant Clement ? Pendant ce temps-là, la Cadillac commençait à se perdre parmi les autres. Il était tout fier de lui, ce nègre, avec sa grosse bagnole et sa nana blanche. Il se fichait bien qu'il y ait quelqu'un derrière lui, quelqu'un qui pouvait être pressé ! C'est ça qui mit Clement en rogne. L'arrogance de ce nègre. Et puis ses cheveux aussi.

Clement alluma ses phares. A travers la vitre arrière, il distinguait très nettement le type. Lorsqu'il tournait la tête vers la fille, on aurait dit qu'il portait une perruque en plastique noir. Pour cent cinquante balles, il s'était offert le genre rocker qui se donne des airs de tango. Connard. Un Noir avec une gueule de Cubain, songea soudain Clement. Bien huileux. Tiens, un Noir avec une gueule de gras de poulet.

Sandy et l'Albanais tournèrent à droite sur Nine Mile. Clement se rabattit sur la file de droite. Il était presque parvenu au virage lorsque la Mark VI lui coupa la route et prit le tournant devant lui.

— C'est pas vrai ! fit Clement.

Il s'élança derrière la voiture, et la talonna. Il avait bien envie de lui rentrer dans le cul, à ce mariole. Mais il fut sauvé par son instinct. Quelque chose lui disait de ne pas s'énerver. Bien vu, mec ! Une voiture de police bleu sombre approchait en sens inverse. La Mark VI la croisa à toute vitesse. Les flics continuèrent tranquillement. Clement garda ses distances.

A l'intersection suivante, le feu passa au vert. La Cadillac de l'Albanais avait déjà tourné à gauche, sur John R., suivie de plusieurs voitures. Sans mettre de clignotants, la Mark décrivit un large virage à gauche, devant l'*Holiday Inn* qui faisait le coin. La voiture de police était loin. Clement accéléra. Il atteignit le croisement juste au moment où le feu passait au rouge. Au milieu d'un concert de klaxons, il entendit le crissement de ses pneus et crut un instant qu'il allait se payer le trottoir et foncer dans l'*Holiday Inn*. Un homme qui promenait son petit chien s'écarta vivement. Mais Clement parvint à redresser. Il écrasa l'accélérateur, dépassa une rangée de lampadaires et de néons, rattrapa la lourde Lincoln et klaxonna. Gras-de-Poulet jeta un coup d'œil dans son rétroviseur. Clement déboîta et le doubla. Tournant la tête, il vit nettement la gueule du bougnoule et le majeur qu'il levait dans sa direction.

— Eh là ! Bougnoule... Continue à faire le malin avec moi, et tu vas t' la prendre, ta trempe !

Pour l'instant, il fallait ouvrir l'œil. Le carrefour suivant, c'était Eight Mile, qui marquait l'entrée de Detroit. Sandy et l'Albanais pouvaient tourner d'un côté ou de l'autre, ou bien pousser un peu plus loin et prendre l'autoroute 75 en direction du centre-ville. S'ils passaient au feu vert, il faudrait que Clement passe aussi. Sinon, il perdrait leur trace et il n'y aurait plus qu'à tout recommencer pour piéger l'Albanais.

Le feu était vert. Tout en accélérant, Clement jeta un coup d'œil sur sa droite, surpris de voir une voiture arriver à sa hauteur. La carrosserie brillante de la Mark glissa silencieusement à côté de lui, puis le dépassa, tandis qu'il pressait l'allure en voyant le feu revenir à l'orange. Les deux véhicules avaient juste le temps de passer; mais Gras-de-Poulet ralentit à l'intersection. Clement dut freiner à mort; ses roues arrière se bloquèrent et il s'arrêta dans un hurlement de pneus; avec, devant lui, le cul de cette grosse bagnole grise.

Sandy et l'Albanais avaient disparu; il ne les voyait plus nulle part. Gras-de-Poulet, la tête penchée, le regardait dans son rétroviseur.

— Très bien, j'ai tout mon temps maintenant, dit Clement. On va faire joujou, bougnoule...

La fille se tourna à demi sur son siège, aveuglée par la lumière des phares.

— Je crois que c'est le même.

— Bien sûr que c'est le même, dit Alvin Guy. Le même petit crâneur. Tu arrives à lire sa plaque ?

— Il est trop près.

— Regarde bien quand je démarre. S'il nous suit, décroche le téléphone et demande à l'opératrice de nous passer les flics.

— Je ne crois pas que je vais savoir comment faire.

Elle écrasa la cigarette qu'elle avait allumée moins d'une minute auparavant.

— Tu ne sais pas grand-chose, dit Alvin Guy sans détacher son regard du rétroviseur.

Le feu était vert. Il se mit à rouler, surveillant toujours la Buick. Il traversa Eight Mile, et, toujours sur John R., rentra dans Detroit.

— On n'est plus à Hazel Park maintenant, imbécile, dit-il à l'adresse des phares qui le suivaient. Au cas où tu ne le saurais pas, je t'emmène droit chez les flics. Attaque à main armée.

— Il n'a encore rien fait, remarqua la fille.

Le téléphone à la main, elle regardait, devant elle, la rue vide éclairée d'une rangée de lampadaires, qui semblait pourtant lugubre, avec les vitrines sombres des boutiques. Une secousse la projeta en avant. Elle entendit un bruit de tôle froissée et Alvin Guy gronder :

— Fils de pute !

La voix de l'opératrice résonna dans le combiné. Le juge cria :

— Police ! Passez-moi la police !

Il y eut une nouvelle secousse. La voiture fit une embardée, et commença à prendre de la vitesse.

Clement maintenait son pare-chocs avant contre la Lincoln, tout en accélérant. C'était comme s'il fournissait un effort physique qui mobilisait toute son énergie. La voiture essaya de se dégager, mais Clement tenait bon. Il continua à pousser. La Lincoln donna plusieurs coups de frein, sans succès, et les pare-chocs se heurtèrent. Elle se rabattit sur la file de droite où la voie était libre. Clement comprit que le type avait une idée derrière la tête : un croisement approchait.

Mais, avant d'atteindre l'intersection, il tourna brusquement à gauche pour se débarrasser de la voiture collée à lui et fonça dans un parking. Il cherchait un passage, bien sûr. Il se croyait rusé, ce bougnoule.

— Connard !

Une haute clôture grillagée apparut dans la lumière des phares. La Lincoln s'arrêta dans un nuage de poussière. Clement s'engouffra à sa suite. Sur le bâtiment qui faisait l'angle, un écriteau portait en rouge la mention : American La France, matériel d'incendie. Un projecteur accroché au mur éclairait la scène : la Lincoln Mark VI avait l'air d'un modèle d'exposition.

« Ou d'un animal hébété, épinglé dans le faisceau des phares », songea Clement en roulant le long de la Lincoln pour s'arrêter devant elle. Comme ça, il pouvait voir, à travers le pare-brise, Gras-de-Poulet s'égosiller dans son téléphone. A côté de lui, la fille se cramponnait à ses chaînes en or.

Clement se pencha sous son siège pour attraper le sac en papier brun, l'ouvrit et en sortit un Walther P. 38 automatique. Il fit ensuite coulisser le toit ouvrant de sa voiture, se dégagea de derrière le volant, et se mit debout sur son siège. Le toit lui arrivait à hauteur de la taille, il avait une vue parfaite sur le pare-brise de la Lincoln illuminée. Il étendit le bras, et tira cinq fois sur Gras-de-Poulet. Le martèlement régulier des balles sur la vitre lui donnait un aspect givré ; à la fin, on ne pouvait plus voir la gueule du mec. Un pan entier se détacha. Alors la fille se mit à hurler.

Clement descendit et se dirigea vers la portière avant gauche de la Lincoln. Il dut se pencher pour redresser le type et le sortir de la voiture, en essayant de ne pas se tacher avec le sang qui inondait son costume bleu clair. Le mec était dans un bel état. Il ne ressemblait pas à un Cubain, maintenant. Il ne ressemblait plus à rien, d'ailleurs. La fille hurlait toujours.

— Tu vas la fermer oui ? dit Clement.

Elle s'arrêta, reprit sa respiration, puis se mit à gémir. Ça faisait un drôle de son, genre hystérique.

— Arrête ! fit Clement.

Quand il vit que ça ne servirait à rien de lui gueuler dessus, il mit un genou sur le siège et lui balança un marron sur la bouche. Pas trop appuyé, juste assez pour qu'elle prenne l'air hébété de quelqu'un qui est ivre. Ressortant de la voiture, Clement se pencha sur le type, ouvrit les pans de son pardessus qu'il tint du bout des doigts, et lui prit son portefeuille. Il contenait trois billets de cent dollars, deux de vingt, des cartes de crédit, quelques chèques, des tickets d'entrée au champ de courses et un petit carnet de poche. Il prit l'argent et le carnet. Il se pencha de nouveau à l'intérieur de la Lincoln Continental, farfouilla sous le volant, attrapa les clefs de contact et dit à la fille qui lui servait toujours son air hagard :

— Allez, viens. Montre-moi où il crèche, ton petit copain.

Ils roulèrent sur Eight Mile jusqu'à Woodward, puis prirent la direction du sud. Clement se tourna vers la fille, qui se tenait très raide sur son siège.

— Si on fraye avec des Noirs, on passe dans leur camp, dit-il d'un ton sentencieux. Tu le savais pas, ça ? Une Blanche avec un Noir, ou un Blanc avec une négresse, ils deviennent des leurs, ils vont *chez* eux. T'as jamais vu un Blanc ramener une petite négresse chez lui, hein ? Ou une Blanche faire pareil avec un Noir, d'ailleurs. Il est déjà venu chez toi, lui ?

La fille ne répondit pas. Elle agrippait son sac d'une main, ses chaînes en or de l'autre. Mais non, il n'en voulait pas de ses chaînes, même si c'était vraiment de l'or. Après, il faudrait s'emmerder à les refourguer...

— Je t'ai posé une question, non ? Il est déjà venu chez toi ?

— Quelquefois.

— Ça, c'est pas courant, alors. C'était quoi son truc, le flambe ? la dope ? Il est trop vieux pour être mac ; il avait bien une gueule de mac, pourtant. Pas vrai ? Bon Dieu, un type comme ça ! T' as pas de goût ou quoi ? D'où tu es ? T' as toujours habité à Detroit ?

Elle acquiesça d'un air hésitant, puis demanda :

— Qu'est-ce que vous allez me faire ?

— J' te ferai rien si tu me dis où il habite, ce type. Il est marié ?

— Non.
— Mais il habite à Palmer Wood ? Y' a des grosses baraques par là.
Clement attendit. C'était comme s'il parlait à un gosse.
Sur leur gauche s'étendait maintenant le parc régional de Fairgrounds, de l'autre côté du ruban de phares jaunes qui venaient en face. Les gens rentraient dans leurs banlieues. A cette heure de la nuit, les voitures qui, comme eux, se dirigeaient vers le centre étaient très peu nombreuses. Clement s'arrêta au feu qui marquait le croisement avec Seven Mile.
— Je suis pas en veine ce soir, tu sais. Je crois bien que je me suis payé tous les feux rouges de cette ville.
La fille s'appuyait à sa portière sans rien dire.
— On tourne à droite là, hein ? Je sais que c'est du côté de Wood'ard.
Il entendit la portière de la fille s'ouvrir, et tenta de la rattraper, mais elle avait déjà sauté de la voiture. La porte resta grande ouverte.
— Merde, dit-il.
Il attendit que le feu passe au vert, tout en suivant de l'œil la silhouette rose pâle qui traversait Seven Mile en courant et longeait la clôture grillagée qui bordait la rue. Derrière elle, il ne voyait que la masse sombre des arbres, plus noire que le ciel. La fille courait mal, accrochée à son sac comme s'il contenait quelque chose d'important, ou comme quelqu'un qui essaye de sauver sa peau. Elle dépassa la clôture et s'engagea sur la route principale qui traversait le golf municipal de Palmer Park.
Un poste de police se trouvait juste un peu plus bas, sur Seven, de l'autre côté du parc. C'est là qu'on l'avait amené la fois où il s'était fait prendre, après avoir braqué une pédale. Ils l'avaient relâché d'ailleurs, parce que la pédale n'avait pas voulu l'identifier. S'il avait bonne mémoire, c'était le commissariat de la douzième circonscription.
Il démarra d'un coup sec pour que la porte se rabatte d'elle-même, prit à droite puis traversa Seven Mile en diagonale, et s'arrêta à l'entrée du parking du terrain de golf. La fille courait sur la route, en plein dans la lumière de ses phares. Elle allait tout droit, sans même essayer d'atteindre les arbres. Clement sortit et s'élança derrière elle. Mais, très vite, il s'arrêta :

— Qu'est-ce que tu fous ? dit-il. Tu crois que c'est l'heure de faire de l'exercice ?

Il étendit le bras, ajusta le Walther dans sa main à l'aide de sa paume gauche, et tira. La fille trébucha. Nom de Dieu, quel boucan ! Il tira encore deux coups. Il l'avait eue à chaque fois ; sûr qu'elle avait son compte.

Mais aussitôt, l'espace d'une fraction de seconde, il vit la fille, assise dans une salle d'audience du palais de justice, toujours en train de tripoter ses chaînes. Il valait mieux vérifier : qu'est-ce que c'était que vingt secondes, si ça pouvait lui éviter de tirer vingt ans à Jackson ? Il alla jeter un coup d'œil. La lumière des étoiles se reflétait dans les prunelles de la fille. Vrai, elle était pas moche, cette fille, songea-t-il.

Tout en revenant vers sa voiture, il se souvint soudain de quelque chose. « Imbécile, se dit-il, comment tu vas trouver la maison du type maintenant ? »

2

— A mon avis, vous avez peur des femmes, dit la journaliste du *News*. Je crois que c'est là le nœud du problème.

Raymond Cruz ne savait pas très bien de quoi elle parlait. S'agissait-il de son problème à lui, ou du sien ?

— Pensez-vous que les femmes agissent toujours par voies détournées ? interrogea-t-elle.

— Vous voulez dire les femmes journalistes ?

— Les femmes en général.

Assis à une table du *Carl's Chop House*, au milieu d'une salle vide, Raymond Cruz se demandait si quelques verres et un dîner à l'œil valaient vraiment la peine qu'il réfléchisse avant de répondre.

— Non, dit-il.

— Les femmes ne vous intimident pas ?

— Non, j'ai toujours aimé les femmes.

— Dans certaines situations, oui, fit la fille du *News*. Autrement, je dirais qu'elles vous sont indifférentes. Elles n'ont pas leur place dans votre monde masculin.

Où qu'elle veuille en venir, la jeune journaliste diplômée de l'université de Michigan, avec ses quatre années d'expérience au *Detroit News*, savait garder son cap. Il était une heure du matin. Le visage luisant, après avoir maculé son verre de traces de doigts et de rouge à lèvres, elle continuait ses insinuations et n'écoutait plus les réponses. Raymond Cruz était fatigué. Il avait oublié ce qu'il voulait dire, lorsqu'il fut sauvé par la serveuse qui souriait derrière ses lunettes à montures pailletées.

— Je n'ai pas entendu votre bip-bip, dit-elle en parlant de l'émetteur électronique que Raymond portait toujours sur lui lorsqu'il voulait rester en contact avec son commissariat. Pas beaucoup d'action ce soir, hein ?

Il se tamponna la moustache avec sa serviette et sourit à la fille.

— C'est vrai, il n'a pas sonné.

Puis, se tournant vers la journaliste :

— Un jour, Milly a entendu mon bip-bip à trois tables de là où j'étais. Je l'avais sur moi et je n'avais rien remarqué.

— Vous étiez plutôt dans les vapes, dit la serveuse. Je me suis approchée de vous. « C'est pas votre bip-bip ? » j'ai dit. Il m'a même pas entendue.

Elle attrapa le verre vide de Raymond.

— Vous voulez autre chose ?

La fille du *News* ne répondit pas. Elle n'avait même pas l'air d'écouter. Elle allumait encore une cigarette, laissant dans son assiette au moins la moitié de son entrecôte. Elle avait déjà une tasse de café devant elle. Raymond commanda une autre bière et demanda à Milly d'envelopper le morceau de viande.

— Je n'en ai pas besoin, dit la fille du *News*.

— Cela plaira certainement à quelqu'un d'autre.

— Vous avez un chien ?

— Je le mangerai au petit déjeuner, répondit Raymond en s'efforçant de s'intéresser à la conversation. Ce qui me frappe, c'est qu'un homme ne me demanderait pas si les femmes m'intimident, ou si je trouve qu'elles agissent toujours par voies détournées. Il n'y a que les femmes pour poser des questions pareilles. Je ne sais pas pourquoi, mais ça ne rate jamais.

— Votre épouse a dit que vous ne lui parliez pas de votre travail.

Son épouse... La fille du *News* n'arrêtait pas de lui tirer dans les pattes lorsqu'il ne s'y attendait pas.

— J'espère que vous faites aussi de la psychologie, quand vous avez le temps, parce que là, c'est un sujet tout à fait différent. D'abord, ce n'est plus ma femme, nous sommes divorcés. C'est ça qui vous préoccupe, le pourcentage de divorce chez les policiers ?

— Elle trouve que vous ne parliez pas beaucoup en règle générale, mais surtout pas de votre travail.

— Vous avez interrogé Mary Alice ?

Ça alors, il était soufflé !

— Quand ?

— Il y a quelques jours. Pourquoi n'avez-vous pas eu d'enfants ?

— Parce que, un point c'est tout.

— Votre femme m'a dit que vous montriez rarement vos émotions, que vous ne lui faisiez jamais part de vos sentiments. Les hommes qui exercent une autre profession, lorsqu'ils ont un problème au bureau, avec un client, avec leur patron, en parlent à leur femme une fois rentrés à la maison. Alors l'épouse fait un petit câlin à son gros chéri, et il lui raconte tout.

La serveuse aux cheveux gris et aux lunettes plaça une chope de bière sur la table.

— Il est où, votre copain ? demanda-t-elle à Raymond.

La fille du *News* écrasa sa cigarette. Elle s'appuya au dossier de sa chaise et tourna son regard vers les tables inoccupées.

— Qui ? Jerry ?

— Le moustachu châtain clair.

— Ouais, Jerry. Il a dit qu'il passerait peut-être. Vous l'avez pas vu, hein ?

— Non, il est pas venu, je crois. Mais j'en mettrais pas ma main au feu. C'est pour qui, le reste du steak ?

— Mettez-le là. Si elle n'en veut pas, je le prendrai.

— *Elle* a un nom, dit la journaliste quand la serveuse se fut éloignée. Je pense que vos valeurs ne sont pas du tout adaptées à la réalité, ajouta-t-elle en se penchant en avant.

Raymond but une gorgée de bière. Il devait bien y avoir un lien entre ces deux phrases. Il la regarda fixement. Son nez brillait encore plus sous l'effet de la tension. Elle se troubla. Raymond en éprouva presque du plaisir. Mais il n'avait pas besoin de ces petites satisfactions personnelles.

— Qu'est-ce qui vous met si en colère ? dit-il.

— Vous ne cessez jamais de jouer un rôle. En ce moment, vous vous plaisez à être le parfait inspecteur de police judiciaire.

— Je ne suis que sergent. Mon grade de lieutenant n'est pas encore officiel.

— Je voulais justement parler de ça. Quel âge avez-vous ?

— Trente-six ans.

— Hmm, c'est ce qui est écrit dans votre dossier, mais vous n'avez pas l'air aussi vieux. Dites-moi... Comment vous entendez-vous avec les autres hommes de votre brigade ?

— Très bien, pourquoi ?

— Vous n'avez aucun problème pour les... tenir ?

— « Les tenir » ? Qu'est-ce que vous voulez dire ?
— Vous ne paraissez pas très énergique.
« Dis-lui que t'as envie d'aller aux toilettes », songea Raymond.
— Un peu trop... raffiné.
Elle marqua une pause, puis reprit avec enthousiasme, comme si elle venait de découvrir quelque chose de génial :
— Oui, c'est exactement ça. Vous essayez de vous vieillir, n'est-ce pas ? La moustache, le costume bleu marine strict... Mais savez-vous à quoi vous ressemblez, en fait ?
— A quoi ?
— A un ancien daguerréotype. Vous faites vieux jeu, quoi.
Raymond se pencha en avant.
— Sans blague, souffla-t-il d'un ton faussement intéressé. C'est ça que vous voyez ?
— Ça vous plaît, l'image du justicier du Far West, hein ? Le shérif à qui on ne la fait pas.
— Ecoutez, fit Raymond, vous savez où se trouve le quartier de la Sainte-Trinité, à quelques kilomètres d'ici ? Eh bien, c'est là que j'ai passé mon enfance, à jouer aux cow-boys et aux Indiens avec des fusils à ressort. Je suis né au Texas, c'est vrai, mais je n'en ai que de très vagues souvenirs.
— Il m'avait bien semblé reconnaître un accent. Alors vous êtes portoricain ou mexicain ?
Raymond se radossa.
— Vous enquêtez sur le taux de participation des minorités aux forces de la police, ou quoi ?
— Ne vous sentez pas attaqué, je vous demande simplement si vous avez des antécédents mexicains.
— Vous êtes quoi, vous, juive ou italienne ?
— Bon, allez, vous êtes vraiment trop borné.
Raymond pointa un doigt sur elle.
— Vous voyez, un homme ne dirait pas non plus « vous êtes trop borné ».
— Baissez votre doigt, dit la fille qui décidément se cabrait vite. Pourquoi un homme ne le dirait-il pas ? Parce qu'il aurait peur de vous, peut-être ?
— Ou bien parce qu'il serait plus poli. Pourquoi jouez-vous les caïds ?
— D'abord, je ne me balade pas avec un revolver, moi, et ensuite, c'est pas moi qui joue, c'est vous. Vous vous prenez pour John Wayne, on dirait, ou Clint Eastwood. Ça vous plairait de leur ressembler, hein ?

— Vous me demandez si j'ai envie d'être acteur ?

— Vous savez très bien ce que je veux dire. Vous aimez le genre cow-boy gros dur et redresseur de torts, non ?

— Je n'ai pas besoin de me raconter des histoires. Je suis de la Criminelle. Côté action, ça me suffit amplement.

La fille lui lança un regard qui se voulait pénétrant.

— C'est pas un jeu, alors. Vous êtes vraiment en accord avec votre moi profond, on dirait. « Mon travail correspond à ce que je suis... »

— Je ne me suis jamais intéressé à mon moi profond, rétorqua Raymond, imperturbable.

— Crâner est encore un moyen de défense. Il est tout à fait clair que le blocage provient du comportement hyper-phallocrate des flics... Le gros flingue, tous ces machins... Mais si nous pouvons l'éviter, j'aimerais mieux ne pas aborder la question des symboles phalliques.

— Oui, pas de cochonneries.

— Là aussi, je pourrais commenter, dit la fille d'un air attristé, l'assimilation immédiate de la sexualité à un acte sale. Il ne s'agit pas d'éviter les « cochonneries », lieutenant, mais seulement les complications. Tenons-nous-en aux faits, voulez-vous ?

Lorsqu'il se remit à parler, Raymond sut qu'il prenait un risque.

— Vous savez ce qui m'a le plus impressionné, quand je suis entré dans la police ? Les inspecteurs, les vétérans de la profession. Avant, il fallait avoir au moins vingt ans d'ancienneté pour devenir inspecteur. Maintenant, on n'a plus besoin d'attendre son tour : vous passez un examen et, si vous réussissez, vous montez en grade.

— C'est exactement votre cas ; lieutenant après quinze ans de service seulement... C'est parce que vous avez fait des études ?

— En partie, oui. Mais il y en a d'autres comme moi qui sont déjà inspecteurs.

La fille saisit la balle au bond.

— Percevrais-je une note de rancune, par hasard ?

— Pas du tout. Je vous dis comment ça se passe, c'est tout. Les vieux de la vieille existent, toujours ; mais ils ont été doublés par certains qui n'ont pas encore leur expérience.

— Vous semblez amer.

— Je ne le suis pas.

— Alors, vous parlez comme un vieux. D'ailleurs, vous vous habillez comme un vieux.

Ça y est ! Voilà qu'elle recommençait à lui taper dessus !

L'après-midi même, sachant qu'il allait être interviewé, Raymond avait mis son costume d'été bleu marine, une chemisette blanche et une cravate bleu sombre à pois. Il avait acheté le costume cinq mois auparavant, en prévision de sa nomination. C'était vrai qu'il s'était laissé pousser la moustache pour paraître plus vieux. L'ombre des poils qui peu à peu s'était épaissie, et avait fini par encadrer les coins de sa bouche, lui plaisait chaque jour davantage. Il trouvait que cela lui donnait un air sérieux, peut-être même un peu méchant. Il mesurait un mètre soixante-quinze et pesait quatre-vingt kilos ; six de moins que dans les mois précédents. Ça se voyait sur son visage, ses traits étaient devenus plus anguleux et sa silhouette paraissait plus élancée.

La journaliste évoquait à nouveau ce type d'inspecteurs qui aurait pu l'influencer, à l'écran. Raymond fit remarquer que, dans les films, les inspecteurs et les cow-boys se ressemblaient. Il avait perdu une bonne occasion de se taire. Elle trouva aussitôt la remarque très révélatrice, et griffonna quelques mots dans son petit carnet de poche. Raymond essaya de s'expliquer. Il ne voulait pas dire les vrais cow-boys, il avait seulement pensé à leurs jeans, à leur allure. Les policiers de Detroit étaient obligés de porter un costume et une cravate pendant le service...

Ils tournaient en rond.

— Eh bien, si vous n'avez plus rien à..., commença Raymond.

— Vous n'avez toujours pas répondu à ma question, coupa-t-elle avec une expression lasse, mais obstinée.

— Cela vous dérangerait de la répéter ?

— La question est : pourquoi un flic ne peut-il pas laisser son rôle phallo au commissariat et faire preuve d'un peu de sensibilité chez lui ? Pourquoi ne pouvez-vous pas séparer votre moi de votre rôle professionnel, admettre vos faiblesses, vos peurs, au lieu de n'évoquer que vos victoires ?

C'était bien la première fois qu'on employait ce mot en parlant de lui : victoires...

— Quelque chose dans ce goût-là, par exemple, continua-t-elle.

Elle prit une voix grave qui se voulait masculine.

— « Et voilà, chérie, encore une affaire de classée, aujourd'hui. On prend un verre ?... » Et que faites-vous de tous les petits soucis mesquins qui font aussi partie de votre boulot ?

Raymond hochait la tête. Une scène prenait forme dans son esprit.

— Bon, d'accord. Alors je rentre chez moi, ma femme me dit : « Ça s'est bien passé aujourd'hui, chéri ? » Moi, je lui réponds : « Oh, pas trop mal, trésor. Il y a quelque chose que j'aimerais partager avec toi. »

La fille du *News* le regardait d'un air vexé. A moins qu'elle ne sente déjà la partie perdue.

— Je croyais que nous pourrions parler sérieusement.

— Mais je suis sérieux. Vous êtes la femme. Vous dites : « Bonjour, chéri. Y a-t-il quelque chose que tu aimerais partager avec moi ? » Et moi je dis : « Mais oui, chérie, j'ai appris un truc nouveau aujourd'hui, et c'est *justement* à propos du partage. »

— Bon, c'est quoi ? fit la journaliste d'un air méfiant.

— Ben voilà, une jeune femme a été tuée, dit Raymond d'un ton emphatique. Mort par strangulation, traces de liquide séminal dans la bouche, le vagin et le rectum...

— C'est pas vrai ! soupira la fille.

— Alors, tout à l'heure, on a interrogé quelques suspects, et l'un d'eux a accepté de vider son sac à condition qu'on l'inculpe d'homicide involontaire seulement. Bon, on parlote un peu, on lui propose meurtre sans préméditation, finalement il est d'accord. En fait, c'est son copain qui l'a tuée. Il venait de sortir de taule, et il crevait d'envie de baiser. Alors tu vois, ils ont rencontré la fille dans un bar, et le type qu'on interrogeait a raconté qu'elle lui faisait un gringue pas possible. Donc ils l'emmènent dans un terrain vague, et, lorsque le premier a fini, il refile le morceau à son copain.

— Lieutenant...

— C'est ça qu'il a dit, il refile le morceau à son copain. Le copain, il s'y met, et il s'arrête plus. Enfin, tu vois, il continue, quoi. Bref, la fille commence à hurler, le copain panique et il l'étrangle pour qu'elle la ferme. Mais il était pas sûr qu'elle soit morte : et si elle allait les reconnaître parmi une file de suspects, dans un commissariat, hein... ? Alors ils repèrent un gros bloc de béton près de la palissade, un truc qui pesait dans les cinquante kilos, ils le soulèvent et ils le balancent sur le visage de la fille. Et encore, ils le soulèvent, le rebalancent sur sa tête.

La journaliste empoigna sa sacoche.

— Et que j' te soulève, et que j' te balance. Quand on l'a trouvée, on a d'abord pensé que c'était un semi-remorque qui lui était passé dessus. Tu sais, t'aurais jamais dit que c'était le visage d'une fille.

— Je ne trouve pas ça drôle.

— Non, c'est pas drôle du tout. Mais après, dans la déposition, le gars a dit...

La fille du *News* s'était levée de table.

— « Ça m'apprendra à être sympa et à *partager* ma nana avec mon copain. »

Raymond se rendit chez *Dunleavy's*, de l'autre côté de Grand River. Jerry Hunter était au bar. La fille, un bras autour de ses épaules, avait l'air de s'ennuyer. Elle dévisagea tranquillement Raymond tandis qu'il commandait un bourbon.

— Où elle est passée, ta copine ? demanda Hunter.

— Elles ont trouvé un nouveau truc, maintenant. Elles t'invitent à dîner, et puis juste avant de payer elles se mettent en rogne et elles se tirent. A toi de ramasser l'addition. Quarante-deux dollars.

— C'en est un, lui aussi ? demanda la compagne de Hunter. Il est mignon.

— Elle essaie de deviner ce que je fais dans la vie, expliqua Hunter.

— Si tu fais quelque chose ! lança la fille tout en se déplaçant légèrement vers le juke-box. Attendez, me dites rien.

Elle commença à se balancer au rythme de la musique. Elle fixait Hunter par-dessous ses paupières baissées, et maquillées de vert.

— Si vous n'aviez pas de cravate, vous pourriez être des joueurs de foot. Ouais, mais plus personne ne met de cravate maintenant, de toute façon. En plus... Une cravate avec une chemise de sport, un veston qui ne va pas avec le pantalon... T'es prof de travaux manuels, c'est ça ? Et ton copain...

Elle se tourna vers Raymond Cruz.

— Vous êtes de quel signe ?

Un signal électronique se déclencha au milieu du groupe. Ténu, mais pressant. Bip, bip, bip... Raymond ouvrit sa veste et coupa le son.

Comme il se dirigeait vers la cabine téléphonique pour appeler le commissariat central, la fille s'exclama :

— Mais oui ! Des flics... J'allais le dire. Ah, j'en étais sûre !
« Tout le monde sait toujours tout, songea Raymond Cruz. Comment font-ils donc tous pour être si intelligents ? »

3

A cause de la lumière qui tombait du projecteur et de l'éclairage des phares, la scène ressemblait à un décor de cinéma. Raymond imagina un film publicitaire avec une voix disant : « Le costume de la victime est bleu clair, le sang rouge sombre, et le gravier d'un blanc-gris. » On aurait dit une séquence projetée à l'envers... Des policiers en uniforme remontaient dans leurs Plymouth bleu et blanc, l'ambulance et le fourgon de la morgue reculaient à toute vitesse dans l'image... Stop ! On arrête. On garde la Continental gris métallisé et la victime du meurtre. La voix de Jerry s'éleva :

— Eh bien, il a fini par se faire descendre, ce petit salaud.

C'était pas facile de considérer Alvin Guy comme une victime.

— Quand Herzog m'a prévenu, dit Raymond, la première chose que je me suis demandé, c'était : « Pourquoi maintenant et pas avant ? »

Il se tenait non loin de la scène en compagnie de Hunter et du sergent-chef Norbert Bryl.

— Qui l'a découvert ?

— Une voiture de la onzième. Le juge avait appelé Police-Secours, mais l'opératrice n'a pas réussi à localiser l'appel. Quelques minutes plus tard, à une heure trente-cinq exactement, une femme qui habite à une rue d'ici, au 20413 de Coventry, a téléphoné pour signaler des coups de feu.

— Il y avait des témoins ?

— On ne sait pas encore. Wendell est en train de questionner la femme. Maureen est quelque part dans le coin. American La France n'a pas de permanence la nuit, mais, de toute façon, je ne crois pas que le juge Guy soit venu ici pour acheter du matériel d'incendie.

— Les types de la patrouille l'ont reconnu ?

— Oui. Pas à son visage, mais son portefeuille était à côté de lui sur le sol.

— S'ils ont reconnu Alvin Guy, pourquoi ne l'ont-ils pas ramassé et balancé quelque part dans Hazel Park ? dit Raymond qui avait baissé le ton.

— Drôle de façon de parler pour un lieutenant, répondit Bryl. Ça n'aurait pas été une mauvaise idée, pourtant... Pas de cadavre, pas de boulot. Mais comme ils étaient pas sûrs qu'il soit mort, ils ont appelé une ambulance. Les gars jettent un œil, et ils font venir le camion de la boucherie.

— Ils étaient pas sûrs qu'il soit mort ! répéta Hunter. Il s'est pris trois pruneaux dans la bouche, deux dans la poitrine ; traversé de part en part ; les balles ont laissé des trous gros comme mon poing à la sortie, et ils étaient pas sûrs qu'il soit mort ?

Des flics prenaient des instantanés du corps, des mesures, dessinaient des plans de la scène, ramassaient des vieux tickets, des cartes de crédit, des mégots de cigarettes. Ils remorqueraient ensuite la voiture jusqu'au garage de la police, sur Jefferson, et la passeraient au peigne fin pour relever toutes les empreintes, les moindres détails qui pourraient aider à l'enquête. L'un des employés de la morgue, en tenue kaki, attendait non loin de là. Sur son épaule était jeté un sac en plastique destiné à envelopper le corps. Bryl commença à prendre des notes pour son rapport.

Il était deux heures cinquante. Alvin Guy était mort depuis un peu plus d'une heure. Raymond Cruz, toujours vêtu du costume bleu marine qui lui avait servi à affronter la journaliste du *News*, sentit qu'il n'y avait pas de temps à perdre.

— Allez, il faut commencer à frapper aux portes. On ne s'en sortira jamais sans témoin. Dès que l'affaire s'ébruitera, on va se retrouver avec une masse de gens qui auront vu ceci, entendu cela... Je ne veux pas chercher des suspects dans le dossier. Je veux avancer dans une seule direction, et tout de suite. Trouver le type, le pincer pendant qu'il est encore au lit. Qu'il en reste comme deux ronds de flan. Sinon, on va tous se retrouver à la retraite en Floride sous les palmiers avant que l'enquête soit terminée. Et ça, il n'en est pas question.

Norbert Bryl, sergent-chef de la septième division de la police judiciaire de Detroit, avec ses cheveux grisonnants qu'il faisait soigneusement couper une fois par mois chez un coiffeur de quartier, était du genre à préparer un plan d'attaque avant d'agir. Il aimait les chemises sombres et les cravates claires, beiges le plus souvent. Il portait des lunettes teintées, à montures métalliques, et tenait une énorme torche électrique à la main.

— On ne peut pas exclure un simple vol comme mobile du meurtre, dit-il.

— Guy s'est fait tirer dessus cinq fois, à travers le pare-brise, en plein dans la bouche. J'ai bien envie de rencontrer ce voleur avant qu'il se mette à faire des dégâts.

Cruz partit quelques minutes plus tard téléphoner son rapport à l'inspecteur Herzog. C'était pas l'habitude de parler de meurtre par radio.

Vêtu d'un costume trois pièces gris clair, Wendell Robinson émergea de l'ombre. Il tenait un petit sac en papier brun à la main.

— Ça avance ? demanda-t-il. J'ai parlé à la femme de la rue Coventry, celle qui a appelé Police-Secours... « Il paraît que vous avez entendu des coups de feu ? », j' lui fais. « Oui, elle me répond, et j'ai vu le type qui a fait le coup. Il était à côté de sa maison tout à l'heure, et j'ai vu son revolver ». « Quel homme ? » j' lui demande. « Il habite au bout de la rue, au 22511. » J'y vais, je sors le type du lit, et je lui demande s'il a un revolver. Y fronce les sourcils, me regarde de travers, finalement dit non, il a pas de revolver. « Mais l'une de vos voisines vous a vu avec un revolver, je lui dis, à côté de chez vous. Si je vous emmène au poste et que je vous colle au milieu d'une file de suspects, on verra bien si elle vous reconnaît. » « Oh, ce revolver-*là*, fait le type, ouais, un vieux machin. J'essayais de tirer les rats avec. Je l'ai trouvé hier, ouais, juste à côté de chez moi. »

Wendell désigna le sac en papier.

— Tu verrais l'engin, un truc minable et enrayé, ça lui emporterait la main au type si jamais il tirait avec.

— Ils mentent tous, dit Hunter. Ils te regardent droit dans les yeux et ils mentent comme des chiens.

Quelques badauds, leurs vêtements ou leurs robes de chambre enfilés à la hâte, étaient maintenant attroupés autour des

Plymouth bleues. La plupart étaient noirs. Les femmes serraient les bras autour de leur corps, comme si elles avaient froid. Les silhouettes se détachaient dans la lumière du lampadaire qui éclairait l'entrée du parking. La nuit était claire, et la température très douce pour un mois d'octobre.

Hunter caressait lentement sa moustache du doigt, tout en dévisageant tranquillement les spectateurs. Il se tourna vers Bryl.

— S'il s'agit d'un vol, pourquoi le juge serait-il venu s'arrêter dans un endroit pareil ?

— Pour pisser, répondit Bryl. Qu'est-ce que j'en sais, moi ? Mais il a été victime d'un vol, et c'est tout ce que nous savons pour l'instant.

— C'était un coup monté. Deux types lui ont tendu un piège... Ils l'ont vu aux courses, ont décidé d'un rencard. Peut-être pour lui vendre de la dope. Y'a un des deux qui monte dans la voiture avec le juge pour traiter l'affaire, et l'autre (il peut pas tirer à travers la fenêtre, son copain est dans le champ de tir) flingue à travers le pare-brise. Avec un 45.

— Tiens, tu as l'arme maintenant ? Et d'où tu sors le 45 ?

— De là où t'as sorti ton envie de pisser. C'est un coup monté, de toute façon.

— Le type qui était dans la voiture, avec le juge, intervint Wendell Robinson, il est resté assis sans rien faire pendant que le juge appelait Police-Secours ?

— Là, tu chipotes sur les détails, fit Hunter. On cherche un mobile, non ? Pouvait-il y avoir d'autre mobile que le vol ?

— Bon, je vous file le boulot à vous autres, dit Bryl. Vous allez dresser une liste de suspects, si vous avez assez de papier et de crayons, et du temps à perdre. Et vous savez combien de noms vous allez rencontrer sur votre chemin ? Tous les avocats qui ont eu affaire au juge Guy, tous les types qu'il a fait condamner, tous les gars qui travaillent au ministère public du comté de Wayne. Tous les officiers de police, bon, disons la moitié des flics de cette ville, et j'exagère pas. A ça vous pouvez ajouter encore au moins deux mille cinq cents noms. Il suffisait d'avoir vu une seule fois cet enculé pour avoir envie de le descendre.

Wendell Robinson se tourna vers Hunter.

— On dirait que l'idée lui plaît pas trop, hein ?

— Ouais, il veut pas y penser, c'est tout. Mais c'était une saloperie de coup monté et il le sait très bien.

Maureen Downey avait surgi de l'obscurité. Elle écoutait

sans bouger, tenant son carnet et son sac contre sa poitrine comme une écolière.

— Si c'était un coup monté, pourquoi se serait-il laissé entraîner là ? demanda-t-elle lorsque Hunter l'aperçut.

— Pour faire pipi, dit Hunter. Viens, Maureen, on se casse et on cherche un motel.

— Attendons d'avoir identifié la seconde voiture, dit-elle.

— Hé, tu crois que tu m'impressionnes avec tes conneries d'inspecteur ? T'es qu'une *fille,* Maureen.

— Ça, je le savais déjà.

Elle avait toujours le sourire aux lèvres, Maureen. Et puis elle ne se laissait jamais rebuter, ni par les mots ni par le sang. Mince et musclée, cheveux châtains, elle avait l'air débordante de santé. Inspecteur depuis cinq ans, elle comptait au total quatorze ans dans la police judiciaire de Detroit.

Hunter ne ratait jamais une occasion de lui rappeler qu'elle n'était « qu'une fille ». Mais souvent, aussi, il lui disait qu'elle était vraiment « comme nous autres ». Il aimait bien la taquiner. Elle avait de jolies dents blanches quand elle souriait.

Bryl tapota le bras de Maureen avec sa torche électrique.

— Quelle deuxième voiture, Maureen ? demanda-t-il.

Raymond Cruz descendit d'une Plymouth et vint vers le groupe.

— J'en ai une encore meilleure, dit-il d'une voix neutre. Femme non identifiée, de race blanche, dans les vingt-cinq ou trente ans. Bien habillée, tuée, peut-être violée, portant des marques de brûlures (en tout cas, ça en a tout l'air) sur la face interne des cuisses. Découverte dans Palmer Park il y a une demi-heure.

— Piqûres d'insectes, dit Hunter. Parfois, ça ressemble à des traces de brûlures. On a trouvé un type comme ça, un jour (je ne sais plus qui c'était) ; en fait, c'était des piqûres de fourmis.

— Passe encore pour quelqu'un qui est resté quelques jours dans l'herbe, rétorqua Raymond. Mais ça, c'est du tout frais. Une voiture de la douzième a repéré un type qui traînait sur le terrain de golf, à deux heures du matin. Ils braquent une lampe sur lui, et aussitôt il se met à courir. Ils se lancent à sa poursuite, et manquent de se casser la gueule sur le corps de la femme.

— Ils ont eu le type ? demanda Bryl.
— Non, pas encore, mais ils pensent qu'il est toujours dans le parc.
— Dis-leur que s'ils veulent identifier la jeune dame, ils ont qu'à traverser Woodward, jeta Hunter. Je ne sais plus comment ça s'appelle, ce quartier, mais c'est le coin des putes et des pédés.
— J'ai déjà interrogé Herzog. Il a dit que non, elle avait pas l'air d'une pute. Elle a peut-être été seulement balancée là. Donc, l'affaire est à nous, si on veut. Herzog a demandé comment ça allait, ici. Je lui ai dit que je savais pas, mais qu'on pourrait rester dans le coin toute la journée sans être plus avancés pour autant.
— Maintenant, il y a une deuxième voiture dans l'histoire, dit Maureen. Plus un jeune type qui se trouvait dans le coin. Ecoutez un peu ce qu'il avait à dire...
Raymond tourna vers elle des yeux chaleureux qui souriaient presque.
— Il suffit que j'ai le dos tourné deux minutes, Maureen, et tu ne trouves rien de mieux à faire que de me dégotter un témoin ! Il est intéressant ?
— Je crois qu'il te plaira, répondit-elle en ouvrant son carnet.

Dans la déposition qu'avait enregistrée Maureen, Gary Sovey, vingt-huit ans, racontait que sa voiture avait été volée la semaine précédente. Un de ses amis avait aperçu par hasard le véhicule dans le parking du bar *Intimate Lounge*, sur l'avenue John R. Gary décida d'aller prendre le voleur la main dans le sac au moment où il monterait dans sa voiture, une V.W. Sirocco, année 1978 ; muni d'une batte de base-ball, il se posta près d'un bâtiment qui abritait les locaux du Syndicat de l'automobile, situé à mi-chemin entre l'*Intimate Lounge* et l'entreprise American La France. Vers une heure trente du matin, il vit la Silver Mark VI arriver à toute vitesse, talonnée par une Buick noire. Lorsqu'il entendit des crissements de pneus, il pensa que les deux voitures avaient tourné sur Remington, au croisement qui se trouvait de l'autre côté du parking d'American La France. Il n'avait pas vu ce qui s'était passé, mais avait très nettement entendu des coups de feu. En se concentrant bien fort, il pouvait encore les compter. Pan, pan, pan, pan, pan. Cinq coups. Une minute plus tard, il entendit une femme crier, mais ça il n'en était pas absolument certain. Par contre, il était sûr de la marque de la voiture noire : une Buick Riviera, année 80; avec une ligne rouge peinte sur la carrosserie, ça il était prêt à le parier.

— Cette histoire de femme qui a crié...

Raymond s'interrompit.

— Et il a retrouvé le type qui lui avait volé sa bagnole ?

Maureen expliqua que la voiture avait été abandonnée dans le parking de l'*Intimate Lounge* plusieurs jours auparavant. Le patron était d'ailleurs sur le point d'appeler la police. Non, Gary n'était pas satisfait.

— Moi aussi, cette histoire de femme qui a crié m'intéresse. On peut en reparler avec Gary, dit-elle.

— S'il y avait une femme avec le juge, pourquoi le type ne l'a-t-il pas tuée en même temps, puisqu'il allait le faire de toute façon ?

— Il a voulu s'amuser un peu dans le parc avant, suggéra Hunter.

— J'adore vous écouter parler, les gars. Même s'il y avait eu une femme ici, pourquoi faudrait-il que ce soit celle trouvée dans le parc ? Il n'y a apparemment aucun lien entre les deux meurtres, sinon qu'ils ont été commis à peu près au même moment. Le juge, ici, sept-huit bornes plus loin, la femme.

— A une rue de Palmer Woods, dit Raymond. C'est là qu'habitait le juge.

Bryl marqua une pause.

— D'accord, dit-il, vous pouvez croire ce que vous voudrez. Nous saurons demain après-midi s'il y a vraiment un rapport. Pour le moment, il n'y a rien qui me donne envie de sauter en l'air d'excitation. Et vous savez pourquoi ?

Le groupe dut se séparer afin de laisser passer le fourgon de la morgue qui reculait vers la rue. Raymond n'entendit pas la suite. C'était pas la peine, d'ailleurs, Norb Bryl n'avait pas envie de sauter en l'air parce que c'était Norb Bryl, tout simplement, et que Norb Bryl examinait toujours soigneusement toutes les preuves avant d'émettre une opinion ou de faire part de ses soupçons. Il était normal qu'il dise : « Tant que les médecins légistes n'auront pas établi les causes certaines de la mort, nous ne devons pas chercher à dégager de lien. » Bryl s'était trouvé un personnage, Raymond Cruz cherchait encore le sien.

Enfant, il voulait déjà être policier. A trente-six ans, il y était parvenu. Mais quelle sorte de policier? (C'est là que ça se compliquait.) En uniforme? Commissaire? Dans l'administration? Chef adjoint de la police, peut-être un jour, avec un grand bureau et des doubles rideaux aux fenêtres... Merde. Pourquoi pas travailler chez General Motors aussi?

Il pouvait être sérieux comme Norbert Bryl, froid comme Wendell Robinson, fruste et un peu dingue comme Jerry Hunter... Ou bien encore il pouvait prendre un air détaché, mettre les mains dans les poches de son complet sombre, avec une expression grave derrière sa moustache de dur à cuire... Et la fille du *News* y verrait son petit numéro de Far West : le défenseur de l'ordre public, comme on en voit sur des photos d'époque, mais qui a troqué son vieux colt de trente centimètres de long contre un Smith .38 à canon court dont il entoure la crosse avec des élastiques...

Qu'avait-il réussi à lui faire comprendre? Que, parfois, des images se formaient dans sa tête, comme celles qui, maintenant, lui criaient que les deux crimes avaient un lien. (Il en était absolument certain, et il savait aussi sans l'ombre d'un doute que les examens balistiques le prouveraient...) Ou bien que si certains policiers, au contraire, étaient cyniques et désenchantés (qu'elle appelle ça des « poses » si elle voulait!), c'était peut-être parce que les examens, bien souvent, ne prouvaient rien... Il y avait autant de sortes de flics que de prêtres ou de joueurs de base-ball. C'est ça qu'il aurait dû lui dire. Pourquoi l'accusait-elle de jouer un rôle? Encore fallait-il savoir lequel, avant de pouvoir en joueur un.

Il se rappela une scène d'un film (l'histoire se passait au Viêt-nam) dans laquelle un colonel coiffé d'un vieux chapeau de cavalerie (c'était Robert Duvall l'acteur) se pavanait sur la plage, et enlevait sa chemise pour aller faire du surf, pendant que les Viêt-congs le canardaient. Ça c'était jouer un rôle, bordel!

Les policiers regardaient le fourgon de la morgue s'éloigner.

— Qui veut aller à Palmer Park? demanda Raymond. Maureen...?

Ils gardèrent tous deux le silence dans la Plymouth jusqu'à ce qu'ils aient presque atteint le parc.

« Il doit être en train de penser à l'affaire, se dit Maureen, et de passer en revue toutes les hypothèses logiques. » Ça ne la gênait pas. S'il n'y avait rien à dire, elle ne se sentait jamais obligée de parler.

A treize ans, Maureen Downey avait écrit une rédaction sur un sujet de son choix : *Pourquoi j'aimerais être une femme policier plus tard.* Elle commençait ainsi : « Parce que je trouve ça drôlement passionnant... » Elle dut pour cela quitter sa ville natale de Nashville, dans le Michigan, entra à l'école de la police à Detroit, puis fut affectée à la Brigade des mœurs. Jerry Hunter lui demandait souvent pourquoi on l'avait choisie elle, en la scrutant de ses yeux à demi fermés. Lorsqu'il lui posait des questions sur les désaxés et leurs fétiches bizarres, Maureen répondait : « Par exemple, y a celle du type qui aime lécher du miel sur les pieds d'une fille. » « Et alors, où est le mal ? » disait Hunter. « Non, sans blague, Maureen, raconte-m'en une vraiment tordue... » Maureen disait alors : « J'ai peur que ça te donne des idées, si je t'en sors une trop corsée. »

Elle était à l'aise avec tous les membres de la brigade. Avec Raymond peut-être encore plus qu'avec les autres. Curieux, d'ailleurs, car il était plutôt réservé, lui aussi. Mais quand il parlait, il disait des choses inattendues, ou bien il posait des questions bizarres, sorties d'on ne savait où, en tout cas c'était l'impression qu'on avait. A ce moment-là, justement, rompant soudain plusieurs longues minutes de silence, il lui demanda si elle avait vu le film *Apocalypse Now.* Oui. Elle avait beaucoup aimé.

— Qu'est-ce qui t'a plu, dedans ?

— Martin Sheen. Et puis aussi, le type tout maigre sur le bateau, celui qui a failli mourir de peur quand le tigre a bondi.

— T'aimes bien Robert Duvall ?

— Ouais, il est terrible.

— T'as jamais vu un film qui s'appelle *Le Justicier ?*

— Non, je crois pas.

— Avec Gregory Peck. C'est un vieux film. Il est passé à la télé, l'autre soir.

— Non, je me souviens pas.

— A un moment, y a Gregory Peck qui est assis à une table dans un saloon, avec les mains sur ses genoux. Enfin, on les voit pas. Un petit crâneur entre, un flingue de chaque côté de la ceinture, et il essaye de déclencher une bagarre ; il provoque Gregory Peck pour l'obliger à dégainer. Comme ça, il pourra se faire un nom.

— Il avait une grosse moustache, Gregory Peck ?

— Ouais, assez grosse.

— Hmm, je crois que je l'ai vu. Elle ressemblait beaucoup à la tienne.

— Quoi ?

— Sa moustache.

— Ouais, peut-être. Bref, Gregory Peck ne bouge pas. Il dit au petit crâneur qu'il a qu'à dégainer si ça lui plaît. « Mais comment tu sais que j'ai pas un 44 braqué sur ton ventre en ce moment ? », il demande... On voit le môme qui réfléchit. Il en a un ou pas... ? Finalement, il se casse. Gregory Peck s'appuie alors au dossier de sa chaise. Ce qu'il tenait sous la table, c'était un gros couteau de poche : il était en train de se curer les ongles.

— Ouais, je l'ai vu, fit Maureen. Mais je m'en souviens pas tellement.

— Hmm, bon film, dit Raymond.

Puis il retomba dans le silence.

4

— Un Albanais? Qu'est-ce que c'est que ce machin-là? demanda Clement la première fois que Sandy Stanton lui parla de l'Albanais.

— C'est une espèce de type avec des cheveux noirs et un gros tas de fric dans sa cave. Il dit que c'est dans un coffre-fort planqué dans une pièce secrète.

— Ça me dit toujours pas ce que c'est qu'un Albanais, dit Clement. Qu'est-ce qu'y fait?

— Il s'appelle Skender Lulgjaraj.

— Merde alors, tu parles d'un nom!

— Et encore, je te l'épelle pas, continua Sandy. Il a une gueule de poupon, avec de grands yeux noirs, et il adore danser en boîte. Il possède plusieurs stands de hotdogs sur Coney Island. A chaque fois que je le vois, il me parle de son fric et de combien il en a.

— Et tu l'as vu souvent?

— Ça fait des mois que je le rencontre en boîte. Il est toujours super-bien sapé. Il se démerde pas mal, je crois.

— Bon, allons-y, histoire de voir ce que valent ses hotdogs.

— Attends d'abord que je me renseigne. C'est peut-être du bidon. Skender veut m'emmener aux courses avec lui.

Bonnard! On verrait bien le blé qu'il claquait, ce Skender. Clement les suivrait dans la bagnole de l'autre petit copain de Sandy. Elle le présenterait plus tard dans la soirée. Ils feraient comme s'ils s'étaient rencontrés par hasard...

Sauf que le hasard en décida autrement.

Del Weems n'était pas exactement l'autre petit copain de Sandy. Mais il lui avait prêté son appartement pendant qu'il était parti diriger un séminaire de gestion. Clement s'était alors installé avec elle.

Il ne connaissait pas ce type, mais apprit un tas de trucs sur lui en fouinant un peu partout. Il examinait les tableaux bizarres, les poteries, les sculptures en métal que Del Weems avait gagnés en tant que membre du Club des amis des arts. Il essayait ses vêtements de chez Brooks Brothers. Question longueur, ça allait à peu près, mais on en aurait mis deux comme lui dedans tellement ils étaient amples. Sandy trouvait qu'il avait l'air d'un gosse qui joue à se déguiser avec les habits de papa. Ils rigolaient bien. Clement sortait de la chambre, en pantalon jaune et veste à fleurs. « On dirait une tenue de camouflage pour une guerre de pédales », disait-il. Et ils riaient encore, lui le p'tit gars de Lawton, Oklahoma, trente-quatre ans, et elle, la fille de French Lick, Indiana, vingt-trois ans.

Sandy avait fait la connaissance de Del Weems alors qu'elle était serveuse au *Nemo*, dans le centre commercial *Renaissance.* (Six mois après, elle avait plaqué, parce qu'elle en avait marre de jamais trouver la sortie au milieu du dédale d'allées, de niveaux et d'ascenseurs.) Del Weems laissait de bons pourboires. Elle commença à sortir avec lui, puis à passer la nuit chez lui. Elle s'était dit que Clement serait aux anges, lorsqu'elle lui décrirait le tableau : quarante-sept ans, divorcé, conseiller de gestion, un appartement au vingt-cinquième étage, au numéro 1300 de la rue Lafayette, une Buick Riviera noire avec une bande rouge sur la carrosserie, douze costumes et huit vestes de sport... Et encore, elle n'avait pas compté les pantalons.

Clement avait demandé ce que c'était qu'un conseiller de gestion. « Par exemple, expliqua Sandy, il aide des grosses compagnies à conclure des marchés... » Et puis, si elle avait bien compris, il expliquait aux cadres des entreprises comment gérer leurs affaires, pour ne pas se planter, quoi. Clement resta sceptique. Il voyait pas très bien ce que Del Weems faisait exactement. Il sortit toutes les factures et tous les relevés de compte bancaire, rangés dans le salon. Il les étudia quelques minutes. Merde... Il avait pas de blé, ce type ! Que des cartes de crédit. « Tu lui fous un 38 dans la bouche — allez, l'ami, file-moi tout ce que tu as ratissé à ces connards — et qu'est-ce qu'il fait, ce gros lard ? Il te tend sa carte Visa. » Merde, pas de ça. Il fallait pouvoir palper du liquide. Les meilleurs coups, c'étaient les minorités ethniques, les nègres, tous ceux qui faisaient pas confiance aux banques, qui avaient rien à chier des impôts, et qui gardaient leur pognon sous le lit ou dans une boîte en fer-blanc. Ceux-là et les dentistes.

C'est pour ça que l'Albanais de Coney Island avait semblé être un bon filon. Si du moins on pouvait y regarder d'un peu plus près...

En tout cas, ce gros lard de conseiller, on pouvait le rayer. Y'avait pas de magot à gagner, mais, en attendant, on n'avait qu'à profiter de son appartement. Se reposer et se la couler douce. Boire du Chivas, regarder la télé de temps en temps, et admirer la vue depuis le vingt-cinquième étage. Bon sang! Sacrée ville...

La rivière était pareille à toutes les rivières des grandes villes. Des hangars et des entrepôts délabrés sur les quais, des péniches et des cargos. Dans le lointain, on avait une vue sur Windsor, et, malgré l'immense panneau publicitaire Canadian Club qui dominait la distillerie, l'ensemble avait l'air tout aussi sordide que Moline, ce trou industriel de l'Illinois.

Un peu sur la droite, Clement apercevait les massives colonnes de verre sombre du centre commercial *Renaissance.* Cinq tours, dont la plus haute faisait bien dans les deux cents, deux cent cinquante mètres. A partir de là, les bords du fleuve s'ornaient de lignes plus pures, de ciment bien net et de structures modernes qui rappelaient à Clement les villes de Kansas City ou de Cincinnati (tout le monde tenait absolument à exhiber son palais des Congrès et son stade tout neuf. Même à Lawton, tiens, ils avaient construit un centre commercial moderne, juste avant la terrible tornade du printemps dernier, celle qui avait emporté la mère de Clement au moment où elle courait s'abriter. On ne l'avait jamais plus revue.)

Lorsqu'il tournait la tête vers le centre-ville, côté nord, Clement balayait alors du regard un paysage de parkings et de carrés de béton. On aurait dit des champs en friche, au milieu d'immeubles datant du début du siècle. Plus loin, c'était le quartier grec (l'odeur de l'ail lui venait presque aux narines). Plus loin encore, les neufs étages du siège de la police de Detroit, un gros bâtiment hideux, et, juste à côté, le haut de la prison du comté de Wayne. Enfin, l'édifice élancé qui abritait le palais de justice Frank Murphy, là où ils avaient essayé d'épingler Clement une fois, et manqué leur coup. Après les étendues plates d'Oklahoma où il avait passé des années, sous un ciel qui l'oppressait, Clement aimait les vues haut perchées. C'était le même ciel pourtant, quand on arrivait à le voir, mais, à Detroit, il semblait beaucoup plus loin, et il n'était pas tout chargé d'humidité. Lorsqu'il levait la tête, Clement se demandait souvent si sa mère flottait quelque part, tout là-haut dans l'espace.

Sandy passa toute la nuit avec l'Albanais. Lorsqu'elle revint à l'appartement, vers midi, elle rapportait un récit merveilleux (« T'imagines ? Une porte secrète, une pièce dissimulée dans la cave... ») qu'elle brûlait de raconter à Clement.

Et qu'est-ce qu'il faisait, Clement ? Il était plongé dans le journal ! Une chose qui lui arrivait jamais. Assis sur le divan, en slip, il se grattait les poils rouquins de la poitrine, et farfouillait machinalement dans son entrejambe, penché sur le journal ouvert à côté de lui. Il remuait silencieusement les lèvres pendant qu'il lisait.

— Tu lis le journal, *toi* ?

Il ne releva même pas la tête. A présent, il se grattait la pierre tombale tatouée sur son avant-bras droit ; bleu et rouge vif, elle portait la mention « A maman. »

— Hé !

Qu'il aille se faire voir ! Sandy partit se changer dans la chambre. Elle troqua son chemisier en soie et son pantalon contre un short de jogging en satin vert et un T-shirt portant l'inscription « Cedar Point, Sandusky, Ohio ». Elle faisait à peine dix-sept ans. Petite, blondinette, quarante-cinq kilos, elle avait des taches de rousseur et des petits seins en pointe. Un peu l'équivalent de Clement en fille, mais beaucoup mieux. A première vue, elle était pas le genre qu'un conseiller de gestion aimerait avoir dans son élégant appartement. Mais si on regardait bien, on remarquait la gaieté qui dansait dans ses yeux. De quoi donner à un homme le sentiment qu'il n'avait qu'à mettre la poupée en marche pour qu'elle lui rende sa jeunesse, et l'emmène dans des endroits inconnus.

De retour dans le salon, elle fit une nouvelle tentative.

— Tu vas encore lire le journal ?

Tu parles ! Clement relisait chaque mot, lentement. Comment avait-il fait pour ne pas reconnaître le juge la nuit dernière... Ce visage qui s'étalait en première page, et cette petite moustache style tango. Il avait tué le juge Alvin Guy, et qu'est-ce que ça lui rapportait ? Des clopinettes ! Même pas la tranquillité d'esprit ! Si y'avait pas de récompense pour celui qui avait descendu ce négro, on devrait au moins lui accorder une médaille, quelque chose, quoi !

— Tu sais, reprit Sandy, j'ai vu la chambre secrète et le petit coffre-fort dont il est si fier. Je crois que toi et moi on pourrait le soulever sans risquer de se coller une hernie. C'était bizarre, cette pièce... Pleine de lits de camp, avec un frigidaire. Un tout petit trou, rempli de boîtes de conserve. Tu m'écoutes ou quoi ?

Affalé sur le divan, Clement exhibait ses deux rouges-gorges tatoués sur la peau blanche de sa poitrine. La première fois qu'ils s'étaient rencontrés dans une boîte de nuit, trois ans auparavant, Clement avait ouvert sa chemise :

— Tu veux voir mes petits oiseaux ?

Et puis :

— Tu veux voir mon poulet ?

Sandy ayant acquiescé, il avait sorti sa chemise de son pantalon, et montré son nombril.

— Je ne vois pas de poulet, avait dit Sandy.

— La couleur est partie, avait répondu Clement. Tout ce qui reste, c'est son trou du cul.

Il fit un geste de la tête en direction de la photo, sur le journal.

— Tu sais qui c'est ?

— Je l'ai déjà lu.

« Le juge Guy a été assassiné » se détachait en gros titre. Le regard de la jeune fille quitta le large sourire qui s'étalait sur la photo, et se posa sur le visage sérieux de Clement. « Tiens tiens, se dit-elle, qu'est-ce que ça peut lui faire ? » Elle manœuvra pour obtenir une réponse.

— C'était pas un copain à toi, non ? Alors pourquoi ça t'intéresse tant ?

Silence.

Tiens tiens.

— Hé, arrête de te bouffer les ongles, dit-elle. Tu as quelque chose à me dire, ou bien est-ce qu'il vaut mieux que je ne sache pas ?

— Tu crois pas qu'y devrait y avoir une récompense pour ce petit connard ?

— Et à *qui* on la donnerait ?

Sandy attendit la réponse. Clement se mordait la peau du majeur gauche, comme un gamin dont le papa est en train de lire le carnet de notes.

— Tu sais combien de gens auraient payé, et très cher, pour le faire descendre ? C'est pas vrai !

— Peut-être que quelqu'un a payé ?

— Nan-an. C'était gratis. Bordel...

— Oh merde, soupira Sandy. Ne dis plus rien, d'accord ?

Elle partit dans la cuisine. Clement continuait à se gratter, à se ronger les ongles, à regarder l'ex-juge souriant. Le gardien téléphona depuis la loge qui surveillait l'entrée de l'immeuble. Sandy aimait bien plaisanter avec lui (c'était un Noir d'âge mûr, et elle l'appelait « le portier du *Carlton* »). Cette fois-ci, pourtant, ils ne plaisantèrent pas. Après avoir raccroché l'interphone, Sandy revint dans le salon.

— Peut-être qu'on vient te donner la médaille, dit-elle.

Clement n'avait même pas entendu la sonnerie. Il releva enfin la tête.

— Qui c'est ? demanda-t-il.

— La police.

5

— Tu veux bien être le brave type, cette fois-ci ? demanda Raymond à Wendell Robinson.

— Non, fais-le, toi. Je suis déjà fatigué et de mauvais poil, alors, si on doit en arriver à ces conneries, j'aurai pas de mal à être un peu brutal.

— Qu'est-ce qui t'a fatigué ?

Raymond n'obtint pas de réponse. Une jeune fille en short et T-shirt avait ouvert la porte et les regardait de ses yeux innocents. Raymond montra sa carte de police.

— Comment allez-vous ? Je suis le lieutenant Raymond Cruz, de la police de Detroit. Et voici le sergent Robinson. Vous êtes bien... euh... le gardien en bas nous a dit que vous vous appeliez Sandy Stanton ?

Ton bienveillant, visage presque souriant... La fille fit oui de la tête. Elle restait sur ses gardes.

— Le gardien nous a dit aussi que M. Weems était absent en ce moment ?

— Oh ! Vous cherchez Del !

— C'est bien cela, Sandy, il est absent ?

— Ouais, en voyage d'affaires. En Californie, je crois, ou quelque part dans ce genre-là.

— Ça vous ennuierait de nous laisser entrer ?

— Je sais que ça fait vraiment cliché, dit Sandy comme à contrecœur, mais vous avez un mandat de perquisition ?

— Un mandat ? fit Raymond. Pour quoi faire ? Nous ne voulons rien fouiller, nous aimerions simplement vous poser quelques questions à propos de M. Weems.

Avec un soupir, Sandy s'écarta. Les deux flics, le Blanc en costume sombre et le Noir en costume gris clair, jetèrent un rapide coup d'œil en direction du couloir aux portes fermées au moment où ils entraient dans le salon. Le Blanc regardait autour de lui, le Noir se dirigea droit sur la fenêtre (comme la plupart des gens) pour admirer la vue de la rivière et de la ville. Le paysage était extrêmement net cet après-midi. Le soleil, éclairant par-derrière le centre commercial *Renaissance,* donnait aux tours de verre l'aspect du marbre noir.

Raymond examina sans grand intérêt les couleurs de la pièce : vert, gris, noir, avec du métal chromé partout. On se serait cru dans le bureau d'un avocat.

— C'est bien vous qui avez conduit M. Weems à l'aéroport, n'est-ce pas ?

— Oui, avant-hier. Qu'est-ce que vous lui voulez ?

— Vous l'avez emmené dans sa voiture ?

— Oui, pourquoi ?

— Une Buick Riviera, immatriculée PYX 546 ?

— Je ne sais pas le numéro de la plaque.

— Que faites-vous dans la vie, Sandy ?

— Comme travail, vous voulez dire ? Je suis serveuse de bar, de restaurant aussi parfois, quand je peux pas faire autrement.

— Vous vous êtes servie de la voiture, hier soir ?

— Quelle voiture ?

— La Buick.

— Eh ben non, justement. Je suis allée aux courses avec quelqu'un.

— A quel hippodrome, Windsor ?

— Non, Hazel Park.

Le flic noir tourna le dos à la fenêtre. Il avait l'air d'un représentant en chemises, ou d'un sportif professionnel. Un Noir qui dépensait de l'argent en fringues...

L'autre avait un vague sourire.

— Vous avez gagné ?

— Vous voulez rire ?

— Je vois, fit Raymond. Vous étiez avec qui ?

— Un type que je connais, Skender Lulgjaraj.

Incroyable... Le flic ne cilla même pas. Pas de grimace non plus, ni de « Lul comment ? ».

— A quelle heure êtes-vous rentrée ?

— Assez tard.

— C'était Skender qui conduisait ?

On aurait vraiment dit que le nom lui était familier !

— Ouais, il était venu me prendre.

Raymond fronça les sourcils : quelque chose le chiffonnait.

— Qui a utilisé la voiture de M. Weems hier soir, alors ?

Malgré sa moustache tombante, il ressemblait à un petit garçon. Une mèche de ses cheveux sombres lui barrait le front.

— Personne.

Elle les regarda. Ça y est, ils lui faisaient le coup du silence, maintenant. Ils attendaient qu'elle en dise trop, en montant une histoire ou en jouant l'innocente. Non, il fallait tenir. Rien leur montrer. Mais c'était dur, tellement qu'elle lâcha finalement :

— Pourquoi, qu'est-ce qui se passe ?

— Vous avez prêté la voiture à quelqu'un ? reprit Raymond.

— Non.

— M. Weems, peut-être, avant son départ...

— Pas que je sache. Peut-être qu'on l'a volée, alors ?

— Elle est en bas. Vous avez les clefs, n'est-ce pas ?

— Oui, elles doivent être quelque part par là.

— Vous voulez bien vérifier, pour être certaine ?

« Oh merde », se dit Sandy. Elle se sentait toute démunie, maintenant, dans son short et son T-shirt. Si seulement elle pouvait marcher tranquillement jusqu'au bureau pour prendre les clefs ! Mais elle n'avait pas la moindre idée de ce que Clement en avait fait. Elle essaya de se souvenir... Il était entré dans l'appartement, les clefs à la main. Non... c'était elle qui était rentrée et qui l'avait trouvé assis sur le divan, en train de lire le journal. (Les pages étaient encore éparpillées sur le canapé.)

— Zut, je sais jamais ce que j'en fais, dit-elle en commençant à chercher dans la pièce.

— Nous pouvons peut-être vous aider, dit Raymond en jetant un regard autour de lui.

— C'est pas la peine, je crois que je sais où elles sont. Asseyez-vous, je reviens tout de suite.

Elle se força à marcher calmement jusqu'au bout du couloir, tout sombre avec les portes fermées, entra dans la chambre et referma derrière elle.

Clement était étendu de tout son long sur le lit. Lorsque Sandy entra, il plaça les mains derrière sa tête bouclée et agita ses doigts de pied pour montrer qu'il était relax.

— Ils sont partis ?

— Non, ils sont pas partis. Ils veulent les clefs.

— Quelles clefs ?

— Les clefs de cette connerie de bagnole, qu'est-ce que tu crois !
Lorsqu'elle chuchotait, sa voix rauque ressemblait à celle d'une grosse femme essoufflée.
— Merde, dit Clement.
Il réfléchit. Sandy tâtait de la main le dessus de la commode.
— Ils ont un mandat de perquisition ?
Sandy ne répondit pas.
— Hé, t'es pas obligée de leur donner les clefs.
— T'as qu'à aller leur dire ça, toi !
Le trousseau de clefs en main, elle se dirigeait maintenant vers la porte.
— Bon, débrouille-toi. Si tu veux leur donner les clefs, vas-y.
Sandy s'arrêta :
— Qu'est-ce que tu veux que je fasse d'autre ? siffla-t-elle.
— Donne-leur, ça fait rien.
— Et si ils trouvent tes empreintes dans la voiture ?
— Y'a pas d'empreintes.
La peau blanche de Clement, ses bras cuivrés et ses rouges-gorges se détachaient sur les volutes vertes et grises du couvre-lit de Del Weems ; une création originale, sans doute.
— Hé, chou ? lança-t-il au moment où Sandy allait sortir, j'ai eu un petit accident, hier quand je suis revenu, en garant la voiture en bas.
— Tu choisis bien ton moment pour me dire ça ! fit Sandy en prenant un air tragique, les yeux levés au plafond. T'es rentré dans quoi ?
— Tu vois les piliers en béton ? J'en ai accroché un en me garant, ça a arraché un peu de peinture sur l'aile. Au cas où ils te demandent ce qui s'est passé.
Il s'arrêta. Sandy le regardait toujours.
— Pour que ce soit plus simple, t'as qu'à dire que c'est toi qui l'as fait. Ça te va ?

Raymond Cruz se retenait d'ouvrir les tiroirs du bureau. Son regard passa des baguettes métalliques qui décoraient la table basse en verre au journal ouvert sur le divan, puis au couloir plongé dans la pénombre. Qu'est-ce qui se passerait s'il entrait là-dedans et se mettait à ouvrir les portes ?
Sandy Stanton. Il revoyait le nom, tapé à la machine dans

un rapport ; une déclaration. Il l'évoquait mentalement. Sandy Stanton. Il essaya de le dire avec la voix de Norb Bryl. Sandy Stanton... Puis avec la voix de Jerry Hunter. Sandy Stanton...

Mais c'était le nom tout seul qui avait été enregistré dans son esprit. Il s'approcha de la fenêtre pour regarder au-dehors, puis se retourna brusquement, au moment où Wendell ressortait de la cuisine et traversait la salle à manger en forme de L. Wendell secouait la tête.

— On voit le 1300 d'ici, fit Raymond en indiquant la baie vitrée.

— J'ai remarqué. On voit la fenêtre de la brigade.

Derrière l'immeuble des assurances Blue Cross, au-delà du dôme de la vieille église Sainte-Marie, la vue s'étendait jusqu'aux neuf étages de l'immeuble municipal qui abritait le siège de la police, au 1300 de la rue Beaubien.

— T'as remarqué que là-bas c'est le 1300 et qu'ici aussi, on est au 1300 ? reprit Raymond.

— Sans déconner... Tiens, pendant que je suis en train de remarquer, j'ai remarqué aussi que t'étais en train de faire joujou avec quelque chose dans ta p'tite tête.

Ahuri, Raymond fronça les sourcils. Mais qu'est-ce qui se passait, d'un coup ? Tout le monde se mettait à lire dans ses pensées.

— Tu t'amuses bien dans ton coin, d'ailleurs, continua Wendell. Tu vas partager le secret avec moi, ou bien tu le gardes pour toi tout seul ?

Incroyable. Ça tenait du prodige... Raymond repensa à la fille du *News*.

— Tu racontes à ta femme ce que tu fais, toi ? demanda-t-il.

Ce fut le tour de Wendell de froncer les sourcils.

— Ce que je *fais* ? Tu veux dire, est-ce que je lui raconte tout ? Ça va pas, non ? J'ai pas envie de me faire descendre avec mon propre flingue !

— Comment sais-tu à quoi je pense ?

— Je sais pas, c'est pour ça que je te demande.

— Mais tu as dit que j'avais une idée derrière la tête.

— Une espèce de plan, quoi. Quand tu restes un peu en retrait, comme ça, sans bouger, mais avec l'air d'avoir envie de te remuer, tu vois ? Ça veux dire que tu es prêt à bondir. Je me trompe ?

— Sandy Stanton..., dit Raymond.

— Un petit bout de femme mignon tout plein.

— Où as-tu déjà entendu ce nom-là ?
— J'ai pas ta mémoire, moi, mais ça me dit quelque chose. Comme un nom de vedette de cinéma, ou un nom qu'on aurait lu dans le journal.
— Ou dans un dossier.
— Là, on a fait un pas...
— Albert RaCosta.
— Continue, dit Wendell en hochant la tête.
— Louis Nix... Victor Reddix. Y'en a encore un autre.
— Ouais... Le Gang des saboteurs.
Wendell remuait toujours la tête.
— Je connais les noms, mais c'était un peu avant mon époque, tout ça.
— Ça fait trois ans. Je venais d'être muté à la septième.
— Ouais, et moi je suis arrivé six mois après toi. J'ai lu le dossier, tous les trucs des journaux, mais je ne me souviens pas d'une Sandy Stanton.
Sandy entra dans le salon.
— Alors, on parle de moi, comme ça ?
Elle montra les clefs.
— Je les ai trouvées. Mais si c'est pour prendre la voiture, je crois pas que je peux vous laisser faire. D'ailleurs, vous m'avez même pas dit pourquoi vous la vouliez...
— Vous êtes sûre que ce sont bien les clefs de la Buick, Sandy ? demanda Raymond.
— Ouais. Il n'a qu'une bagnole.
— Quand l'avez-vous conduite pour la dernière fois ?
— Je vous ai dit, quand j'ai emmené Del à l'aéroport.
— La voiture était en bon état ?
— Ouais, je crois.
— Pas d'éraflures, rien ?
— Oh si, fit Sandy avec une grimace de douleur. J'ai éraflé l'aile, au garage, contre un pilier en béton. Del va me tuer !
— La place était un peu juste, hein ?
— Ouais, j'ai mal calculé mon coup.
— Quelle aile était-ce, Sandy ?
Elle éleva les deux mains à hauteur de sa poitrine. Est-ce que cet oiseau de merde, en slip là-bas sur le lit, lui avait précisé ça...
— C'était... celle-là, la gauche.
Son regard alla du flic blanc au flic noir, puis retourna vers le blanc. Elle se retenait de demander : « C'est ça ? »

— Vous en êtes bien certaine ? insista Raymond.
Merde, pensa Sandy.
— Oui, dit-elle, à peu près certaine. Mais je me trompe tout le temps entre la droite et la gauche.
— Vous habitez ici, Sandy ?
Celui-là, alors, il fallait s'accrocher...
— Non, seulement pendant que Del n'est pas là. Je lui garde son appartement, quoi.
— Est-ce que quelqu'un d'autre habite avec vous ?
Elle hésita. Elle savait bien que c'était la chose à ne pas faire, pourtant.
— Non, il n'y a que moi.
— Y a-t-il quelqu'un d'autre ici en ce moment même ?
Nom de Dieu ! Elle hésita encore.
— Vous voulez dire, à part nous trois ?
— C'est ça, à part nous trois.
— Non, il n'y a personne d'autre.
— Il m'a semblé vous entendre parler avec quelqu'un dans la chambre.
— Alors là, vous êtes vraiment pas réglo. Si vous ne voulez pas me dire ce que vous cherchez, moi je vous demande de partir. D'accord ?
— Vous étiez à Hazel Park, hier soir ?
— Je vous ai déjà dit que oui.
— Eh bien, voyez-vous, Sandy, une voiture qui ressemblait à celle de M. Weems, peut-être le même numéro d'immatriculation, y a été impliquée dans un accident. Vers une heure du matin.
— Vous êtes des flics de la *circulation ?* dit Sandy. Mais je croyais que c'était bien plus grave que *ça* !
— Qu'est-ce que vous croyiez, par exemple ? demanda Raymond.
— Je sais pas, moi. Je croyais... Deux types comme vous qui montent ici, ça avait l'air plus grave, quoi.
Sandy se détendait enfin. Bon, il fallait qu'ils vérifient la voiture d'abord, disait le flic blanc, qu'ils voient si c'était bien celle qu'ils cherchaient avant de continuer plus avant. Sandy réfléchissait. C'était peut-être seulement une voiture qui ressemblait à celle de Del, et qui avait presque le même numéro. Peut-être que c'était... une coïncidence, et que cet oiseau de merde, dans la chambre, n'avait rien à y voir. Y'en avait à la pelle, des Buick noires, c'était une couleur à la mode cette année. Elle dit ça au flic. Il écouta en hochant la tête.

— Oh, au fait, dit-il soudain. Vous avez vu Clement Mansell ces derniers temps ?

Sandy n'en revenait pas. C'était comme si quelqu'un qu'elle ne connaissait pas l'avait appelée par son nom. Elle était absolument certaine qu'elle n'avait jamais vu ce flic de sa vie. C'était impossible qu'il sache qui elle était. De nouveau, elle se sentit démunie et vulnérable. Elle était pieds nus, elle ne pouvait se cacher nulle part ; il était trop tard pour faire marche arrière, pour recommencer en étant prête cette fois pour la question.

— Qui ? dit-elle courageusement.

— Clement Mansell. N'est-ce pas un de vos vieux amis ?

— Oh... Vous le connaissez ? Ouais, je me souviens de son nom, bien sûr.

Raymond sortit une carte de visite de la poche de son veston.

— Si vous le voyez, dit-il en la tendant, dites-lui de me passer un coup de fil, d'accord ?

Les deux flics, le Blanc et le Noir, partirent ensuite, après l'avoir remerciée.

— Clement Mansell, dit Wendell dans l'ascenseur. Bien sûr, quand on parle du Gang des saboteurs, on peut pas laisser tomber le meilleur. Je sais pas comment j'ai pu oublier.

Raymond regardait les numéros des étages décroître dans le cadran lumineux.

— J'aurais sans doute pas dû faire ça, dit-il.

— Quoi, parler de lui ? Faut bien se mouiller un peu, de temps en temps.

— Si c'est Mansell qui a fait le coup, je veux qu'il sache. Je veux pas qu'il s'enfuie, mais je veux qu'il pense à le faire. Tu me suis ?

— Mais il pourrait très bien être en Oklahoma, et pas du tout dans le coin.

— Oui, ça se pourrait.

Il baissa les yeux vers la porte de l'ascenseur qui s'ouvrait. Sortant de la cabine, ils traversèrent le vestibule et s'arrêtèrent devant la loge, où le gardien était assis devant un mur de télévisions et de caméras. Raymond attendit que l'homme lève la tête.

— Vous ne nous avez pas dit que Mlle Stanton était avec quelqu'un, au 2504...

— Vous me l'avez pas demandé, je crois.
— Ça fait combien de temps qu'il y est, grand chef? demanda Wendell.
Le Noir d'âge mûr, vêtu de son uniforme de portier, dévisagea le Noir plus jeune, dont la forte carrure était moulée dans un costume trois pièces gris clair.
— Ça fait combien de temps que *qui* y est ?
— Et merde, dit Wendell. Ça recommence.

6

Une fois, Clement passa sous un train, et s'en sortit vivant. C'était un convoi de marchandises de la compagnie Chesapeake et Ohio : vingt-trois wagons, deux locomotives et un wagon-frein.

Il était à peu près onze heures du soir. Il y avait une fille avec Clement, et ils attendaient à un passage à niveau. La barrière était baissée et les feux rouges clignotaient. Tout d'un coup, Clement sortit de la voiture et alla se planter sur la voie ferrée, tournant le dos aux phares de la locomotive qui se dirigeait vers lui à soixante-dix kilomètres à l'heure. Ouais, il était un peu défoncé ce soir-là, mais pas trop. Il avait prévu de s'écarter au dernier moment. Pendant que le train s'approchait, il regardait le visage de la fille, à travers le pare-brise : les yeux lui sortaient de la tête. Au lieu de s'écarter, il changea d'avis, et s'allongea sur les rails. Lorsqu'il l'aperçut, le conducteur bondit sur le frein de secours. Mais il était trop tard. Vingt et un wagons passèrent sur Clement avant que le train ne s'arrête. Il sortit à quatre pattes de dessous le vingt-deuxième.

— Il a fait ça comme ça, sans aucune raison! dit le conducteur, Harold Howell, habitant de Grand Rapids.

On l'emmena à l'hôpital de Garden City, où on lui soigna quelques bleus dans le dos. Puis on le relâcha.

— C'est contre la loi ? demanda Clement aux policiers de la ville de Reford Township qui l'interrogeaient. Montrez-moi où c'est écrit que je n'ai pas le droit de m'allonger devant un train si ça me plaît !

Il expliqua plus tard à Sandy que c'était un peu comme un conditionnement, une préparation aux moments de la vie « où il faut avoir des couilles, et des sphincters solides ». Une fois qu'on s'était allongé devant un train, on pouvait bien rester couché sur un pieu, en slip, pendant que deux flics vous rendaient visite, posaient des questions à propos d'une certaine Buick noire (et qu'un Walther P.38 très compromettant était caché pas très loin) sans risquer de chier sur le lit.

Comme l'autre fois devant le train, il savait maintenant qu'il avait le temps de se tirer d'affaire, et de se débarrasser du revolver (ça lui faisait mal au cœur, pourtant) avant que les flics reviennent avec un mandat de perquisition pour fouiller ou saisir la voiture. Les flics étaient bien dressés, ces temps-ci... S'ils avaient pas de mandat, ils n'ouvraient pas les portes des chambres et ne regardaient pas à l'intérieur des voitures. C'est qu'ils étaient obligés de respecter les règles, sinon leurs preuves ne valaient rien devant le tribunal. Clement voyait bien que ça lui donnait un avantage : tant que ces petits casse-couilles étaient tenus de respecter ses droits de citoyen, il pouvait leur rire au nez et les asticoter un peu.

Mais qui c'était celui-là, le lieutenant Raymond Cruz ? Clement examina soigneusement la carte de visite. Puis, jetant un regard par la fenêtre de la chambre, il plissa les yeux en direction de l'immeuble de la police.

— Je connais pas de lieutenant Raymond Cruz.

— En tout cas, lui il te connaît !

— A quoi il ressemble ? C'est un gros plein de bière, comme tous les autres poulagas ?

— Non, il est plutôt maigre.

— Raymond Cruz, dit Clement d'un air pensif. Il aurait pas la peau bronzée, style Mexicain ?

— Il est brun, ouais, mais pas trop noiraud. Le genre calme. Sauf que... c'est bizarre, mais je trouve qu'il a un petit air méchant. A part ça, il est mignon.

Clement se retourna vers Sandy. Il se grattait distraitement le ventre.

— Tu le trouves mignon, hein ? Il faut absolument que je voie ça, un poulaga de Detroit qui est mignon. Ça va même être un de mes buts dans la vie... Bon, tu ferais mieux de t'habiller maintenant, ajouta-t-il.

— Où est-ce qu'on va ?

— Tu vas aller à Belle-Isle pour moi.

— Hé là, attends cinq minutes !

— Je vais te dire où est caché le flingue dans le garage. Tu vois les espèces de poutres en ciment ? Il est juste au-dessus.

Tu le mets dans ton sac (t'inquiètes pas pour les taches de graisse, il est enveloppé dans du papier). Tu traverses la rivière, tu te gares sur Belle-Isle et tu retraverses un bout du pont à pied. Quand y'a pas de voitures (et surtout pas de Plymouth bleues) tu sors le paquet de ton sac et tu le jettes dans la rivière.

— Je suis obligée ?

Sandy fit une grimace de douleur. Voyant que. Clement attendait patiemment, elle reprit :

— Alors, j'ai au moins droit à un joint, d'abord. Une moitié ?

— Je veux que tu aies les idées claires, mon p'tit lapin.

De toute façon, il n'y avait pas d'herbe dans l'appartement. Il restait plus que des tiges et des graines. Elle s'arrêterait au « magasin » en revenant, et ramènerait un petit sac...

Clement glissa la carte de Raymond Cruz dans l'élastique de son slip, puis, prenant Sandy par les bras, il l'attira gentiment contre lui.

— Qu'est-ce qui te rend si nerveuse, hein ? dit-il en caressant la peau de la jeune fille sous les manches en satin de son T-shirt. Je t'ai jamais vue comme ça avant. T'as besoin d'un des petits traitements du Dr Mansell ? C'est ça, p'tit lapin, quelque chose pour te détendre ? Eh bien, on peut arranger ça.

— Mmm, ça fait du bien, dit Sandy en fermant les yeux.

Elle sentait le souffle de Clement tout contre son oreille.

— Il faut vraiment que j'y aille, hein ?

— Tu veux qu'on soit bons copains, non ? Est-ce que des copains ne s'aident pas mutuellement ?

— Je crois que je sens un autre petit copain, là en bas...

— Tu vois, Popaul se plaint pas, lui, il boude pas, il est toujours là quand t'as besoin de lui. Même quand j'ai un peu la gueule de bois, hein ? T'aurais beau lui taper dessus avec un bâton qu'il ne s'en irait pas...

— Il faut absolument que ce soit dans la rivière ?

— T'as une meilleure idée ? Ecoute, quand tu reviendras, p'tit ange, on ira voir ton Albanais. Ça marche ?

On pouvait leur dire n'importe quoi, du moment qu'elles gobaient...

C'était sympa les gonzesses, mais il fallait toujours les traiter comme des gosses, jouer avec elles, leur promettre des trucs. Surtout Sandy. Elle était bonne fille, Sandy, elle l'avait jamais laissé tomber. Clement l'embrassa pour lui dire au revoir. Puis il s'habilla, tout en réfléchissant à la situation.

D'ici un jour ou deux, il faudrait qu'il se tire d'ici. La vue lui manquerait, mais tant pis. Il n'avait aucun intérêt à ce qu'on puisse le joindre facilement. Ils avaient fait vite, cette fois, ces salauds. Ou alors, ils avaient eu de la veine. Il arrivait pas à se souvenir d'un lieutenant Raymond Cruz. Peut-être que s'il voyait la gueule du type... En tout cas, il fallait se débarrasser de tout ce qui pouvait être compromettant. Dommage : il l'aimait, son P.38.

Ramassant son pantalon sur le sol, Clement en sortit ce qu'il avait piqué au juge. Le pognon, trois cent quarante dollars, ça y avait pas de problème. C'était propre. Il avait laissé les chèques dans le portefeuille. Il se voyait pas essayer de fourguer les chèques d'un mort. Le petit carnet de poche (tout plat, on aurait dit que des pages avaient été arrachées) contenait des noms et des numéros de téléphone, ainsi que des colonnes de chiffres et des dates. Il y avait des nombres impressionnants, trois chiffres après la virgule, mais tout ça ne voulait rien dire pour lui. Pourtant, lorsqu'il arriva à l'avant-dernière page (une page de droite), un numéro de téléphone lui sauta aux yeux.

WSF 644 5905...

Les initiales et les chiffres avaient été repassés plusieurs fois au stylo à bille, puis soulignés et encadrés d'un gros trait.

« Quelque chose d'important », songea Clement. Il ne reconnaissait pas les lettres, mais il était sûr d'avoir déjà vu le numéro quelque part, et il n'y avait pas très longtemps de ça. Mais où ?

Deux policiers en civil de la Brigade criminelle, assis dans une Ford banalisée, avaient été chargés de la surveillance de la Buick Riviera, immatriculée PYX 546, garée au niveau inférieur du garage, au 1300 de la rue Lafayette. Ils étaient munis de photos de Clement Mansell (dossier 373-8411), face et profil, datant de 1978. Si Mansell montait en voiture, ils avaient pour ordre de l'aborder avec prudence et de l'emmener pour le soumettre à un interrogatoire. S'il refusait, résistait, ou essayait de s'enfuir, ils devaient alors l'arrêter. En aucun cas ils ne devaient procéder à une fouille de la voiture. Si c'était une femme qui arrivait, ils avaient pour mission de la prendre en filature, et d'appeler le commissariat central.

C'est ce qu'ils firent lorsque Sandy partit au volant de la Buick, s'engagea sur Jefferson, bifurqua à gauche sur East Grand boulevard (tournant le dos au pont de Belle-Isle) et s'arrêta devant le bar *Chez Sweety*, au numéro 2921 de la rue Kercheval.

La jeune femme pénétra dans le bar, puis ressortit environ dix minutes plus tard, en compagnie d'un Noir d'âge mûr, qu'elle suivit jusqu'à la maison voisine, au numéro 2925 de la rue. Ils entrèrent tous deux dans l'appartement situé à l'étage inférieur du bâtiment.

Les policiers téléphonèrent à la septième brigade de la police judiciaire et demandèrent des instructions.

7

La septième brigade de la police judiciaire de Detroit était spécialisée dans les enquêtes concernant « les homicides commis à la suite d'un délit » : la plupart du temps un vol à main armée ou un viol, parfois un vol avec effraction. Par contre, les coups de feu tirés au cours de querelles de bar, ou des scènes familiales du samedi soir, faisaient partie des crimes passionnels et ne nécessitaient pas d'enquête policière.

La brigade était logée au bureau 527 du siège de la police. C'était une pièce d'environ huit mètres sur six, murs ternes, plafonds hauts, dans laquelle s'entassait tout un assortiment de bureaux en métal d'âge indéfini, de tables en bois, d'armoires de classement. A cela s'ajoutaient sept téléphones, une cafetière électrique, une batterie de recharge pour les radios portatives, un placard fermé à clef dans lequel les membres de la brigade rangeaient parfois leurs revolvers, deux tubes fluorescents qui diffusaient une lumière tremblotante, un panneau mural rassemblant deux cent soixante-trois photos de personnes condamnées pour meurtre, un portemanteau à côté de l'entrée, et un écriteau sur lequel on pouvait lire :

Faites quelque chose,
Soyez meneur ou mené,
Mais ne restez pas plantés
Au milieu du passage !

Une vieille affiche qui se décollait à moitié du pilier situé au centre de la pièce, reste d'une époque passée, déclarait : « Je lâcherai mon revolver quand on le dégagera de mes doigts raidis. »

Il était quatorze heures trente lorsque Raymond Cruz revint au bureau de la brigade. L'enquête concernant la mort d'Alvin Guy et de la jeune femme de Palmer Park avait commencé depuis moins de treize heures.

Raymond accrocha au portemanteau le pardessus qu'il n'avait pas quitté depuis vingt-quatre heures, traversa la pièce pour rejoindre le bureau du lieutenant (pas encore officiel). Là, le dos au mur, coincé entre l'unique fenêtre et l'appareil à air conditionné qui ne marchait pas, il écouta.

Le bureau de Norb Bryl faisait face au sien. Bryl s'entretenait au téléphone avec un employé de la morgue du comté de Wayne (il prenait des notes, et répétait « un défaut dans la serrure, une balle trouvée dans la fosse antérieure crânienne). Au téléphone lui aussi, Hunter avait en face de lui un jeune Noir, suspect/témoin du meurtre de Palmer Park. Les genoux des deux hommes se touchaient presque. Le jeune Noir était affalé sur sa chaise. Il portait un T-shirt blanc et jouait avec les bords étroits de sa casquette de golf à carreaux. Il attendait Hunter qui attendait lui-même que son correspondant revienne en ligne. Il n'y avait personne d'autre dans le bureau.

— T'as vingt-cinq piges, et tu n'as récolté que des contraventions ? T'as dû passer un petit bout de temps dans l'armée, dit Hunter.

Raymond observait le jeune Noir, qui haussa lentement les épaules sans répondre.

— Fais voir tes cheveux, reprit Hunter.

Le gars ôta sa casquette.

— Bon, on va mettre « crépus », fit Hunter en griffonnant quelques mots sur la feuille du rapport d'interrogatoire qu'il avait devant lui.

— Ça s'appelle afro.

— Afro ! Un peu merdeux comme afro. On va mettre crépu-afro... Oui ? dit-il dans le récepteur en se redressant sur son siège. C'est *Darrold* Woods ? Bon, qu'est-ce que vous avez sur lui ?

Tandis qu'il prenait des notes sur son bloc de papier jaune, Hunter remuait la tête, marmonnait des « ouais-hu-mm... ». Lorsqu'il eut terminé, il prit sur le bureau un exemplaire du Certificat de lecture des droits constitutionnels.

— Comment ça se fait que t'as signé Donald Woods, ici ? Tu m'as menti, Darrold (il prit un accent douloureux). T'as voulu me faire croire que t'avais pas de casier. Je vais commencer par effacer ce zéro, parce que c'est de la connerie.

— Deux vols sans arme, et une p'tite agression de rien du tout...

— Une petite agression de rien du tout... C'était rien du tout, peut-être, le cric avec lequel tu as tabassé le type !

Une main sur l'écouteur, Bryl dit à Raymond :

— Mort par suite de coups de revolver... deux dragées. L'une trouvée dans la moelle épinière, encore enveloppée de la douille, l'autre dans la tête.

— C'est le juge Guy ? demanda Raymond.

Bryl fit oui de la tête.

— Bon, combien de trous dans la fille, Adele Simpson ? continua-t-il au téléphone. Vous en êtes sûr ? Pas plus, hein ?

Il couvrit de nouveau le récepteur avec la main.

— Ça se présente bien. Maureen a déjà apporté les balles au labo.

— Tu la connaissais bien, Adele Simpson ? demanda Hunter au jeune Noir.

— Je l'avais jamais vue avant.

— T'as piqué son sac... Quoi d'autre ?

— Quel sac ?

— Darrold, on a trouvé les cartes de crédit d'Adele Simpson sur toi.

— Je les ai ramassées par terre.

— Tu vas encore essayer de me baratiner, Darrold ? Ecoute-moi bien, il s'agit plus d'une petite agression de merde, cette fois, mais d'un meurtre. Tu piges, c'est la taule à vie !

Raymond se leva de son bureau. Il s'approcha du jeune Noir qui avait remis sa casquette à carreaux, et lui posa légèrement la main sur l'épaule.

— J'ai quelque chose à te demander... d'accord ?

Sans répondre, le Noir inclina la tête pour regarder le lieutenant.

— T'as trouvé la femme morte, c'est bien ça ?

— J'arrête pas de le lui répéter...

— Avec quoi tu l'as brûlée ?

Comme il ne répondait pas, Hunter s'impatienta.

— Et merde. On n'a qu'à le boucler en haut.

— Je l'ai juste touchée un peu, pour voir si elle était vivante, dit alors le jeune Noir.

— Avec quoi tu l'as touchée ? Avec ta queue ? demanda Hunter.

— Non, là vous y êtes pas du tout.
— Bon, alors si à l'autopsie on trouve des traces de sperme qui s'accordent avec ton type sanguin, là il faudra bien qu'on te demande : « Darrold, tu l'as violée avant, ou après l'avoir tuée ? »
— Mais je l'ai pas tuée ! Vous avez trouvé un revolver sur moi ? Non, merde.
— A quel endroit tu l'as touchée ? demanda Raymond.
Il ne répondit pas tout de suite.
— Ben... Vers les jambes, dit-il au bout d'un moment.
— Tu l'as juste touchée un peu ?
— Ouais, un p'tit peu, quoi.
— Tu l'as touchée avec une cigarette ?
— Ouais, je crois bien que c'était une cigarette.
— Une cigarette allumée ?
— Ouais, elle était presque finie pourtant, y'avait plus que le mégot.
— Pourquoi tu l'as touchée avec une cigarette ?
— J' vous ai dit, pour voir si elle était vivante, c'est tout.
Raymond alla chercher la cafetière, puis sortit de la pièce. Dans le couloir, il croisa Maureen Downey. Les yeux brillants d'impatience, elle lui désigna le dossier qu'elle tenait dans les bras.
— C'est le rapport des médecins légistes, dit-elle.
— Et le labo ?
— Ils sont encore en train de comparer, mais ils pensent que les balles sont identiques.
— Quel genre de revolver ?
— Ils ont trouvé des éclats dans la femme, et deux dragées dans Guy, avec la douille intacte...
— Norb m'a raconté.
— Ça pourrait provenir d'un 9 millimètres ou bien d'un 38. Ils vont étudier ça de plus près, mais tu sais vers quoi ils penchent, pour l'instant ? ajouta Maureen, le visage radieux.
— Un Walther P.38, dit Raymond.
Le sourire de Maureen s'évanouit.
— Comment tu le sais ?
— Novembre 78... Les coups de feu de la rue Saint-Mary, dans la maison des trafiquants de came...
Les yeux de Maureen retrouvèrent leur éclat.
— Tu te souviens ? continua Raymond. On avait trouvé deux dragées dans le panneau en bois, qui provenaient d'un P.38.

— Nom de Dieu, tu crois que...

— Absolument. Retourne au labo, demande-leur de comparer les balles extraites du mur et celles qu'on a trouvées dans les corps du juge Guy et d'Adele Simpson.

— Ce serait trop beau pour être vrai !

— Si elles sont identiques...

Raymond continua son chemin le long du couloir. Dans le placard du coin, là où le concierge rangeait ses affaires, se trouvait un évier. Il rinça la cafetière et la remplit d'eau froide. Il ne devait pas s'emballer trop vite... Pourtant, un pressentiment s'insinuait en lui, une sorte d'excitation : il était sûr, absolument sûr, que les balles seraient identiques. Il vit Clement Mansell debout devant le juge, dans une chemise hawaiienne vert, rouge et jaune. Il le vit se retourner et sortir de la salle d'audience, arborant un large sourire.

8

Les deux hommes devisaient calmement, du ton de ceux pour qui le meurtre est un sujet de conversation anodin. Robert Herzog, commissaire divisionnaire, était assis à son bureau, une table recouverte d'une plaque de verre, dans une pièce aux parois vitrées. Policier depuis vingt-neuf ans, c'était un homme corpulent, aux épais cheveux grisonnants et au visage triste. Raymond Cruz détourna les yeux de la fenêtre lorsque Herzog lui demanda si la lumière le gênait.

— Non, pas du tout.

— Vous aviez l'air d'être ébloui.

Juste derrière Herzog, orientée plein sud, la fenêtre donnait sur la rivière. Au loin, l'extrémité supérieure d'un gratte-ciel se détachait dans la lumière de fin d'après-midi.

— Bien. Que savons-nous au juste d'Adele Simpson ?

— Elle travaillait pour une agence immobilière. Divorcée, sans enfant. Vivait seule, dans un appartement près de Westland. Sortait de temps en temps avec des types du bureau, dont un marié.

— Y a-t-il un lien quelconque entre le juge Guy et l'un d'entre eux ?

— Je ne sais pas encore, mais j'en doute.

— Vous allez avoir besoin d'aide, cette fois-ci. Je vais voir ce que je peux faire.

— Vous savez..., commença Raymond.

Doucement... Il voulait s'entendre énoncer tout haut sa propre théorie. Pas besoin de se précipiter ; surtout, ne rien laisser de côté.

Herzog attendait. Mais Raymond savait qu'il pouvait prendre tout son temps ; Herzog lui poserait les questions qui l'aideraient.

— ... C'était peut-être un coup de chance, quand vous nous avez donné les deux enquêtes. Je veux dire que les deux affaires auraient pu ne jamais être reliées, mais la première chose qu'on a faite, ç'a été de chercher un lien ; et il y en avait un : le même revolver a servi pour Guy et Adele Simpson.

— Vous supposez donc que c'est le même gars qui a fait le coup, mais vous ne savez pas si c'était par vengeance, par jalousie, ou pour toute autre raison.

— En fait, c'est pas le mobile qui me préoccupe, pour l'instant. L'hypothèse la plus simple, c'est que c'était un coup monté, et que la fille, dommage pour elle, se trouvait par hasard avec le juge.

— Comment savez-vous qu'elle était avec lui ?

— On a un témoin qui a entendu cinq coups de feu. Cinq exactement. Puis, un cri de femme, mais ça, il n'en est pas absolument certain. On a trouvé trois dragées dans le corps de Guy, plus deux dans le dossier du siège. Deux balles identiques ont été retirées du corps d'Adele Simpson. Elle a été atteinte dans le dos, les balles ont fracassé la colonne vertébrale, puis ont dévié, jusqu'au poumon. Une troisième l'a traversée de part en part.

— Mais le cri n'est pas nécessairement venu d'Adele Simpson, objecta Herzog.

— Non, je n'irais pas soutenir ça devant le tribunal... Mais on a aussi un gardien du parking de Hazel Park, du nom d'Everett Livingston, qui dit avoir vu Guy partir au volant de sa Mark VI en compagnie d'une jeune dame blonde, vêtue de quelque chose qui ressemblait à une robe rose, avec des chaînes en or autour du cou et un rouge à lèvres sombre. Description qui correspond tout à fait à Adele Simpson.

— Que fait donc un type si futé à garer des voitures ?

— Il s'est souvenu du juge parce qu'il le connaissait de vue. Et aussi parce que le juge a eu un petit accrochage avec une voiture noire. Une Buick ou une Olds.

— Il a décrit le conducteur ?

— Non, seulement son bras gauche. Un petit coup de soleil, des poils rouquins et la manche de la chemise relevée. Ce qui nous amène à Gary Sovey, Blanc de vingt-huit ans, qui a vu une Buick Riviera noire en train de poursuivre, à moins qu'il ne se soit agi d'une course, la voiture du juge sur l'avenue John R.

— Où est-ce que vous trouvez des témoins pareils ?

— C'est pas fini, continua Raymond. A une heure et demie du matin, il y avait un type au coin de Nine Mile et de John R. au moment où une voiture noire, modèle GM, peut-être une Buick, a manqué heurter le trottoir et failli écraser son chien qui était en train de pisser. Selon le type, le numéro d'immatriculation de la voiture était PVX 5 quelque chose. On a vérifié les registres. Il n'y a pas de Buick immatriculée PVX 5 quelque chose, mais, par contre, il y a une PYX 546. Il s'agit d'une Buick Riviera, appartenant à un certain Del Weems, qui habite juste en face, dans cet immeuble là-bas.

— Quel immeuble ?

Raymond indiqua la fenêtre d'un signe de tête.

— Au numéro 1300 de la rue Lafayette.

Herzog fit pivoter son fauteuil afin de jeter un coup d'œil au gratte-ciel que l'on apercevait, puis reprit sa position à son bureau.

— Del Weems aurait-il des poils roux sur les bras, par hasard ?

— Je ne sais pas de quelle couleur sont ses poils. Il était en voyage hier soir.

— Alors pourquoi est-ce que vous me parlez de Del Weems ?

— L'aile gauche de sa voiture est éraflée.

— Intéressant...

— Et la jeune dame qui habite chez lui se trouvait à Hazel Park, hier soir.

— Elle est rousse ?

— Blonde, plutôt. Elle n'était pas dans la Buick, mais dans une Cadillac, avec... Vous êtes prêt ? Skender Lulgjaraj.

— J'ai déjà entendu ce nom-là quelque part.

— C'est le cousin de Toma.

— Ah, Toma... L'Albanais. Ça fait un bout de temps qu'on n'a pas entendu parler de lui, non ?

— Oui, ils se tiennent tranquilles en ce moment, les Albanais. On a interrogé Skender, et il a dit que oui, il était bien aux courses avec une jeune femme, mais il a pas voulu donner son nom.

— Pourquoi ?

— Ils sont comme ça, les Albanais, très discrets. Mais c'est pas grave : on est sûrs que c'est la même que celle qui habite dans l'appartement de Del Weems, le propriétaire de la Buick Riviera noire, et qu'elle s'appelle Sandy Stanton.

Raymond marqua une pause.

Herzog réfléchissait.

— Je donne ma langue au chat, dit-il. Qui est Sandy Stanton ?

— Revenons un peu en arrière, si vous voulez bien. Novembre 78, une petite maison rue Saint-Mary...

— Ah... oui.

— Un endroit où on trouvait de la blanche la plus pure, alors que tout le monde dealait de cette espèce de truc marron mexicain... Un certain soir de novembre, trois types font irruption dans la baraque, un peu après onze heures.

— Albert RaCosta, Victor Reddick, et... attendez que je me souvienne, Louis Nix...

— Lui, il conduisait la bagnole. Vous gardez le meilleur morceau pour la fin, hein ? Tout le monde fait la même chose.

Herzog esquissa un sourire.

— Et Clement Mansell.

— Et Clement Mansell, parfaitement. Celui qui a des poils rouquins sur les bras et des rouges-gorges sur la poitrine. Vous vous souvenez des rouges-gorges ? Eh bien, à l'époque, Clement habitait à la même adresse que Sandy Stanton. J'ai pas eu affaire à elle, moi, c'est Norb qui l'a interrogée, je crois. Mais je me souviens d'elle, au tribunal. Et puis cet après-midi...

Herzog voyait déjà plus loin.

— Louis Nix a été tué avec un P.38, c'est bien ça ?

— C'est ce qu'on a *pensé*, oui. Malheureusement, on n'a pu retrouver qu'un seul éclat pour les examens de labo, vous vous souvenez ? Pas assez pour conclure qu'il provenait d'un Walther. Mais il y avait autre chose... Vous vous rappelez, les panneaux de bois de la maison de la rue Saint-Mary ?

— Les panneaux de bois...

— Oui, les montants de l'ouverture, entre le salon et la salle à manger. On en avait extrait deux dragées provenant d'un Walther. Aucune trace du revolver, pourtant. On a bien trouvé les victimes... Trois : un type du nom de Champ, qui avait cherché à s'enfuir de la maison. Un autre surnommé Short Dog, dix-huit ans. Lui, il était chargé de la porte. Et puis la petite fille de Champ, sept ans. Elle dormait dans la chambre. Tuée par une balle qui a traversé la porte.

— Je me souviens de la gamine. Et c'est le même revolver qui les a eus tous les trois ?

— Oui. Mais pas le Walther. Un Beretta Parabellum de calibre 32, qu'on a trouvé dans la ruelle, derrière la maison.

Pas d'empreintes, si vous vous souvenez. Mais quand Louis Nix s'est mis à table, il a dit que le Beretta appartenait à Clement Mansell.

— Je me souviens vaguement de ça, oui. Mais est-ce important ?

— Je ne voudrais rien oublier qui puisse l'être. Ce qui s'est passé, c'est qu'un voisin a entendu les coups de feu et a appelé le commissariat. Une voiture de patrouille est arrivée. Louis était devant la maison, au volant d'une camionnette, moteur en marche. Clement, RaCosta et Reddick avaient déjà filé par la porte de derrière, laissant Louis en plan. Il a donné ses trois potes. Reddick et RaCosta ont été condamnés à perpétuité. Clement Mansell aussi. Mais il a fait appel, en utilisant une histoire de jurisprudence en matière de détention fédérale. Vous vous souvenez de ça ?

— Ouais, plus ou moins. Continuez.

— La cour d'appel a révoqué la sentence. Clement s'en est sorti.

— C'était quelque chose à propos d'une autre accusation portée contre lui, dit Herzog qui fouillait dans sa mémoire.

— Le procureur s'est planté, je crois. A l'époque où Clement a été arrêté, les agents fédéraux le poursuivaient pour un petit délit merdique, un vol de bagnole avec passage de la frontière d'un Etat (il conduisait une Seville en Floride). L'avocat de Clement lui a fait plaider coupable à la lecture de l'acte d'accusation fédérale. Il a été envoyé à Milan pour neuf mois. Pendant qu'il tirait sa peine, il a été ramené en procès pour le triple meurtre, et condamné. Louis Nix a témoigné, il a avoué qu'ils avaient monté toute l'affaire, que le Parabellum était à Clement et tout le monde s'est pris la perpétuité à Jackson. Ils ont fait appel tous les trois, bien sûr. Reddick et RaCosta ont été rejetés. Mais Clement a obtenu son appel, il a gagné ; et vous savez pourquoi ?

— C'est ça, le coup de la détention.

— Exact. Si un prisonnier en train de purger sa peine se trouve par ailleurs en instance de procès devant un autre tribunal, il doit comparaître en jugement dans un délai de cent quatre-vingts jours. Sinon...

Raymond s'arrêta. Il voulait que tout soit bien clair dans son esprit.

— ... S'il doit attendre plus longtemps, il peut se produire certaines confusions dans l'esprit dudit prisonnier, et sa réhabilitation risque d'être foutue.

— C'est ce que dit la jurisprudence ?

— Ça revient à ça, oui. Si vous vous souvenez bien, le tribunal de première instance était à cette époque dans une pagaille complète. Le programme était surchargé, tant et si bien que le procès dans lequel Clement a été condamné n'a eu lieu que le cent quatre-vingt-sixième jour après la mise en accusation. Lors de l'appel, l'avocat de Clement a invoqué la clause de détention stipulée par la jurisprudence, et il s'en est tiré. Alors que sa culpabilité ne faisait plus aucun doute. Alors que Reddick et RaCosta avaient témoigné que l'arme du crime, le Parabellum, appartenait bien à Clement, et que c'était lui qui avait tué les types et la petite fille de sept ans. Le mec est passé au travers parce qu'il était en détention fédérale, et que le procès avait eu lieu six jours trop tard ! Ce qui troublait son esprit et foutait en l'air sa réhabilitation !

— Qui était son avocat ?

— Carolyn Wilder.

— Ah...

Herzog hocha la tête et réprima un sourire.

— Très intelligente, cette femme. Je dois dire que j'ai toujours aimé la voir en action. Clement risquait la perpétuité, il n'y avait donc rien à perdre. Elle savait bien que le tribunal de première instance était un bordel complet. Alors elle l'a livré à la justice fédérale, en espérant qu'il se passerait bien six mois avant qu'il ne soit appelé en jugement pour le triple meurtre.

— A six jours près, elle ratait son coup.

— Elle se doutait que, dans le bureau du procureur, ils ne compteraient pas les jours, et surtout qu'ils ne penseraient pas à cette histoire de détention. Ça, oui, c'est très intelligent.

— Clement s'en est tiré, répéta Raymond. Deux semaines plus tard, Louis Nix était tué d'une balle dans la tête. Enfin, c'est là qu'elle a abouti, mais le coup a été tiré dans la bouche ! Très probablement avec le même revolver d'où provenaient les dragées trouvées dans les panneaux de bois de la rue Saint-Mary, et le même revolver aussi, j'aime à le croire, qui a tué le juge et Adele Simpson. Un Walther P.38.

— J'aimerais le croire aussi.

— Les types du labo en sont presque certains, mais ils veulent d'abord examiner le revolver, avant d'être catégoriques.

— A qui appartenait-il ?

— La femme de Champ, le type qui avait la charge de la

maison, a dit que son mari possédait un Luger. Seulement, on ne l'a pas retrouvé sur les lieux.

— Un P.38 n'est pas un Luger... Mais je vois ce que vous voulez dire.

— Exactement, ça *ressemble* à un P.38. La femme ne savait certainement pas faire la différence. On a donc un P.38 dans le triple meurtre d'il y a trois ans. Supposons que Clement l'ait piqué à Champ... Le même revolver réapparaît dans le double meurtre de ce matin. Les victimes étaient au champ de courses, ainsi que Sandy Stanton, la petite amie de Clement. Et la voiture dont elle se sert (elle est d'ailleurs quelque part au volant en ce moment même) se trouvait aussi fort probablement aux courses, et sur les lieux du meurtre.

— Alors pourquoi ne l'avez-vous pas saisie ?

— C'est ce qu'on va faire, dès que Sandy aura fini son petit tour. Elle vient de se rendre dans une maison de la rue Kercheval.

— A Grosse-Pointe ? fit Herzog, surpris.

— Non, beaucoup plus près d'ici, vers le numéro 2925, juste avant d'arriver à Grand. Tout à côté d'un bar qui s'appelle *Chez Sweety*. Peut-être que c'est une junkie, mais je ne crois pas. On va aller jeter un œil.

— Si c'est Mansell qui a pris la voiture hier, la fille pourrait bien être en train de trimbaler le revolver...

— Ça, c'est une question de choix : est-ce qu'on s'empare d'abord de la voiture pour la fouiller, ou bien est-ce qu'on suit Sandy, et qu'on s'occupe de la voiture plus tard ? Si Clement s'en est servi, je suppose qu'il a dû effacer les empreintes. Mais il a très bien pu négliger quelque chose que les spécialistes découvriront.

Herzog hocha la tête. Oui... c'était en effet une question de choix.

— Des types de la Criminelle sont en train de filer Sandy. A la moindre alerte, par exemple si elle se dirige vers le bord de la rivière ou si elle s'arrête près d'une poubelle, ils lui sautent dessus. Mais je ne veux pas qu'on panique, pour l'instant, et surtout pas moi. J'ai pas envie de frapper à la mauvaise porte, et de voir Clement nous filer sous le nez.

— Il a déjà très bien pu le faire, à l'heure qu'il est.

— Exact. Ou bien il est dans ce gratte-ciel là-bas, dans l'appartement 2504. Si vous vous souvenez de Clement, il manque pas de couilles. A l'époque, les journaux le surnommaient le « Sauvage de l'Oklahoma ». Moi, je dirais plutôt que c'est une cervelle brûlée, un mec à qui même la mort ne fait pas peur.

— Une espèce de cascadeur du revolver.

— Exactement. Il aime le danger, et il aime tuer les gens.

— Mais si vous n'avez pas le revolver, le Walther, quelles preuves avez-vous pour le pincer ?

— Et voilà... On a un bras aux poils rouquins passé par la portière d'une voiture, c'est tout. Et j'ai jamais entendu parler d'une file de bras suspects. Non, il faut qu'on le chope en possession du revolver, c'est tout ce que je sais.

— Vous êtes bien calme. Pourtant, c'est pas l'envie de foncer qui vous manque, non ?

— J'essaie seulement de me retenir de donner des coups de pied aux portes. Je ne voudrais pas tout faire rater. Pour qu'il s'en tire comme la dernière fois...

— Mais pourquoi a-t-il tué le juge ?

— Ça, je vais le lui demander dès que je l'aurai coincé. Il n'a jamais comparu devant Guy, donc ça ne peut pas être pour une vieille rancune. Peut-être qu'il a vu Guy gagner aux courses, et qu'il a voulu lui tendre un piège. Peut-être. Ou bien, et je pencherais plutôt pour ça, quelqu'un l'a payé pour faire le coup. Ou encore, il est allé aux courses parce que Sandy s'y trouvait avec Skender, et qu'il mijotait quelque chose contre l'Albanais. C'est ce que Clement faisait, avant, avec le Gang des saboteurs. Ils dégotaient un petit commerçant, le plus souvent appartenant à une minorité ethnique, un type qui avait la gueule à garder son fric chez lui. Le Gang lui rendait une petite visite, le tabassait un bon coup, après avoir retourné sa baraque sens dessus dessous, et se cassait avec ses économies. Ça ne m'étonnerait pas que Clement magouille encore des coups du style !

— Il s'est fait arrêter, depuis le procès des trois ?

— Non, pas une seule fois. Il a été suspect... Merde, il est *toujours* suspect ! Mais à part ça, l'ordinateur ne dit rien de neuf. Sauf si on compte une inculpation pour conduite en état d'ivresse, à Lawton en Oklahoma, le printemps dernier. Il s'est fait supprimer son permis de conduire.

— Eh bien, en tout cas, si vous l'attrapez au volant..., fit Herzog en guise de conclusion. Au fait, je pars en vacances, la semaine prochaine. Je vais à Leland, avec Sally.

— Vous emmenez ses gosses ?

— Non, justement, l'idée c'est de partir un peu tout seuls. Si on y arrive !

— Qu'est-ce qu'y vous faut ? Une baby-sitter ?
— Non, les gosses sont assez vieux pour se débrouiller. Le problème, c'est les grand-mères. Si la mère de Sally lui demande avec qui elle part, et qu'elle dit avec moi, sa mère va poser des questions du genre : « Seuls tous les deux ? » Sally dira oui, et la mère piquera une crise.
— Pourquoi ?
— Pourquoi ?
Le gros homme, malgré ses vingt-neuf ans dans la police, parut soudain gêné, et très vulnérable, derrière son bureau.
— Parce qu'on est pas mariés. L'hiver dernier, quand on a voulu passer une semaine en Floride, pareil. Avec *ma* mère. Quand je lui ai annoncé que je partais avec Sally, elle m'a dit : « Ah, parce que vous êtes mariés, maintenant ? » Sally a quarante-neuf ans, j'en ai cinquante-quatre, on est tous les deux divorcés. Nos gosses ont roulé leur bosse à travers tout le continent avec leurs copains et copines. Mais vous voyez, eux, c'est les petits-enfants, alors on accepte. Quand Sally et moi on veut faire la même chose...
— Vous plaisantez !
— Est-ce que votre mère vit toujours ?
— Oui, elle habite à Daytona.
— Eh ben, essayez donc. Dites-lui que vous allez venir la voir avec une femme que vous aimez beaucoup, mais avec qui vous n'êtes pas marié, et vous verrez bien ce qu'elle dira. « Tu veux dire, vous voyagez ensemble, *seuls* tous les deux ? » Elles sont choquées, elles n'en croient pas leurs oreilles. Je sais que vous n'êtes pas aussi vieux que moi, termina le commissaire, mais je vais vous dire une chose : vous et moi, on est d'une génération de merde.

9

L'ex-femme de Raymond, Mary Alice, téléphona à dix-huit heures vingt. Il faisait déjà sombre au-dehors. Lorsque Raymond était rentré chez lui et était passé sous la douche, un brillant soleil d'automne éclairait encore le salon. Tout était plongé dans la pénombre, à présent. Il voyait son reflet dans la fenêtre, avec la serviette blanche enroulée autour de ses hanches.

Le toit avait recommencé à fuir dans la salle de séjour... Mary Alice décrivit les dégâts causés par l'eau sur les murs et la moquette. Elle n'arriverait jamais à faire disparaître les taches d'humidité...

Il avait envie de lui dire : « Mary Alice, ta moquette, j'en ai rien à foutre. » Mais il se contint.

— Qu'est-ce que tu veux que j'y fasse ?

Mais il savait très bien ce qu'elle répondrait. Elle voulait qu'il paie pour la réparation du toit et une nouvelle moquette. (Lorsqu'elle lui parlait, elle ne l'appelait jamais par son prénom.) Oh ! et puis, aussi, elle avait besoin d'une autre machine à sécher le linge.

L'appartement qu'il occupait au rez-de-chaussée d'un immeuble se trouvait à la limite sud de Palmer Park. Ses fenêtres donnaient sur la masse sombre des arbres. Un kilomètre plus loin, on avait trouvé le corps d'Adele Simpson, tout près du domicile du juge Guy.

— Mary Alice, je crois que tu as mal compris... Nous ne sommes plus mariés. Tu as gardé la maison, cela ne me regarde plus.

Elle enchaînait déjà, de sa petite voix terne :

— En plus, il n'a pas plu ces derniers temps, coupa-t-il.

Mary Alice changea de ton. Il n'aurait pas dû lui laisser la maison dans un tel état... Elle avait pris une intonation boudeuse, celle qui lui venait le plus naturellement. (Parfois même, elle prenait une voix méfiante pour lui dire ce qu'il y avait à dîner, comme si elle était l'objet d'un complot.) A présent, elle parlait d'obtenir un devis des travaux. Elle le tiendrait au courant. (Elle n'avait pas écouté un mot de ce qu'il avait dit.)

— Fais comme tu veux, dit Raymond.

Puis il raccrocha.

Il découpa le reste de l'entrecôte dont la journaliste du *News* n'avait pas voulu et fit frire les morceaux dans une poêle. Pendant que la viande grésillait dans l'huile, il repensa à la fille. Au début, son visage lui avait paru détendu et agréable. Il l'avait trouvée attirante, et y avait même vu une possibilité... Et puis sa peau avait commencé à luire, ses traits s'étaient accusés, et ce changement physique s'était accompagné de propos acides. Elle avait peut-être raison, en fait.

Ouais, peut-être... Mais Raymond se ravisa aussitôt ; c'était hors de question, jamais il n'aurait pu parler de ses sentiments à sa femme ! D'abord, Mary Alice n'aimait pas l'idée d'être la femme d'un policier. Elle aurait voulu qu'il soit assureur, comme son père à elle, qu'il devienne membre de la loge maçonnique de son père, qu'il aille chasser le cerf avec son père, qu'il transforme la véranda en salle de séjour avec l'isolation acoustique dans le plafond, et qu'il y mette les meubles de papa et maman.

Le conseiller conjugal consulté six fois avait demandé pourquoi ils n'avaient pas d'enfants. Ce à quoi Mary Alice répondit qu'elle avait fait deux fausses couches. Elle ne lui avait pas dit que, lorsqu'ils commençaient à faire l'amour, elle restait indifférente pendant que Raymond, lentement, avec douceur, déployait tous ses efforts pour parvenir à la sortir d'elle-même. (Mais, bien sûr, cela n'avait rien à voir avec le fait de ne pas vouloir d'enfants.) Froide, sans jamais accorder aucune attention à ses propres mouvements monotones et automatiques, elle demeurait ailleurs, et seule.

Un psychologue avait eu un entretien avec Raymond. Avait-il toujours désiré être policier ? Non, Raymond voulait d'abord être pompier, mais il n'avait pas été reçu à l'examen. Avait-il jamais eu une expérience homosexuelle ? Raymond avait fait mine d'hésiter. « Racontez-moi ça », avait alors dit le psychologue. « Eh bien, quand je travaillais à Vice, j'allais souvent aux toilettes dans un bar d'homosexuels. Je me mettais devant l'urinoir, et quand un type s'approchait, je sortais une salière de ma poche et la secouais un peu, juste devant moi. Et si le mec me regardait en roulant des yeux et en se frottant le ventre, je savais que j'avais fait une touche. » Le psychologue l'avait regardé d'un air effaré : « Vous êtes sérieux ? » Et Raymond avait répondu : « Ecoutez, j'aime les filles. C'est elle que j'aime pas. Vous comprenez ? »

Il mangea la viande accompagnée de tomates et d'oignons coupés en rondelles, et but une canette de Strohs. Il n'était pas fatigué. Il n'avait pas dormi depuis la veille au matin, mais il n'était pas fatigué. Il songea à sortir. Après douze ans de mariage, il éprouvait une impression bizarre à l'idée de sortir en célibataire. Il pensa à la journaliste du *News;* il pensa à Sandy Stanton, et se demanda où il pourrait la rencontrer comme par hasard. Il pensa aux filles qu'il avait connues au *Pipers Alley,* un bar où les gens se retrouvaient le vendredi après le boulot, rue Saint-Antoine. Elles arrivaient avec leur brosse à dents dans leur sac. Il pensa aux filles en général, et il évoqua des visions de plaisir dans des appartements inconnus, des lampes chromées qui diffusaient une lumière tamisée, des coussins à franges en laine tissée. Il se revit en train de boire du vin, d'accomplir le rituel qu'attend une fille qui joue la sainte nitouche, ou la séductrice, qui prend des airs langoureux, qui dit « déshabille-moi »... Lorsqu'il arrivait à la petite culotte fantaisie, il se demandait toujours pourquoi elles n'en mettaient jamais de blanches, toutes simples, ces filles qui étaient déjà des grandes, plus vieilles que celles qu'il fréquentait à l'Université, seize ans auparavant... Ces filles faisaient les timides, jusqu'au moment où elles étaient sur le lit, et alors là, c'était le signal du départ; elles se mettaient à pousser des gémissements qui ressemblaient à des râles, à débiter des mots obscènes auxquels il arrivait pas à s'habituer. Pourtant, quand il les voyait dans les bars, elles disaient toutes « bordel », maintenant. Mais quand il entendait « baise-moi, oui baise-moi », il se disait : « Qu'est-ce que je suis en train de faire ? » Il ne s'abandonnait jamais complètement, il restait lucide, et il observait, pris par l'action à soixante-dix pour cent seulement. Il se souvint que la fille du *News* l'avait traité de démodé. Non, elle avait dit « vieux jeu ». C'était sans doute la même chose, de toute façon. Elle croyait tout savoir, cette fille...

Le téléphone sonna.

— Allô, lieutenant, Carolyn Wilder à l'appareil, fit une voix de femme.

Calme, posée.

— ... J'ai appris que vous recherchiez un de mes clients, Clement Mansell.

Raymond revit l'avocate en salle d'audience. Mince, habillée de beige; cheveux châtain clair... Il avait reconnu la voix de cette femme séduisante, aux manières pondérées, qui défendait des criminels.

— Que diriez-vous de me l'amener demain matin à huit heures?

— Pourquoi vous donner cette peine, puisque vous n'avez pas de mandat d'arrêt?

— J'aimerais lui parler.

— Très bien, vous pouvez lui parler, mais dans mon cabinet et en ma présence. Si cela ne vous convient pas, obtenez un mandat, et nous nous verrons à la lecture de l'acte d'accusation.

Raymond lui demanda où se trouvait son cabinet. Elle lui donna l'adresse, 555 Birmingham, et le pria de bien vouloir venir dans l'heure qui suivait.

— Attendez... Comment avez-vous eu mon numéro?

Mais Carolyn Wilder avait déjà raccroché.

10

— Le mieux, c'est la matraque, expliqua Hunter. Tu la fourres dans la poche de ton pantalon, tu vois, juste contre ta cuisse. Ou bien, si t'as pas de matraque tu peux te servir de ton flingue. Tu l'accroches par-devant, à la boucle de ton ceinturon. Et puis tu commences à danser en te serrant bien contre la nana, et tu regardes la gueule qu'elle fait.

— T'as envie de baiser, ce soir ? demanda Raymond.

— Qu'est-ce que tu veux dire, *ce soir* ? J'ai toujours voulu essayer une des nanas qui habitent par ici. Mari vice-président chez General Motors et elles se font chier à mourir... Vise un peu celle-là, t'as vu comme elle est sapée !

Les deux hommes étaient au bar *Archibald*, au rez-de-chaussée du numéro 555. Autour d'eux bourdonnait une foule hétéroclite de gens qui se retrouvaient après le travail pour prendre un verre. Il y avait de jeunes avocats, des représentants de commerce et aussi des filles venues d'un peu partout. Hunter s'inventait des femmes qui auraient quitté leurs mornes banlieues pour partir à la recherche d'un peu d'action, et qu'un inspecteur de police portant un Colt 9mm nickelé à la ceinture éblouirait à coup sûr.

— Tu sais quel âge elle aurait, la femme de ton vice-président chez General Motors ? dit Raymond.

Il termina son bourbon, et reposa son verre sur le comptoir.

— Bon, je monte. Je viens de voir Clement se garer de l'autre côté de la rue. Chevy Impalo jaune clair, immatriculée TFB 781.

— Volée sans doute.

— Le téléphone est par là-bas, à côté des toilettes des hommes.

— Je l'ai vu en entrant.
— Si Clement part avant moi, je t'appelle.
Raymond quitta le bar. Il frôla un groupe de secrétaires et de jeunes cadres, puis s'engouffra dans un ascenseur.
Le cabinet des Mes Wilder, Sultan et Fine se trouvait au septième étage. Les trois avocats, déjà très célèbres au tribunal de première instance de Detroit, se lançaient à présent dans le droit des affaires. Tout un monde de contrats, d'exonérations d'impôts, qu'évoquait un hall d'accueil tapissé de cuir brun, et garni de tables en verre sur lesquelles étaient disposés des exemplaires de la revue financière *Fortunes and Forbes,* tout ça à vingt-cinq kilomètres du centre-ville.
Raymond passa devant une rangée de bureaux bien nets, avec leurs machines à écrire recouvertes de housses, et pénétra dans une pièce où régnait une lumière tamisée. Carolyn Wilder et Clement Mansell l'attendaient. Clement souriait d'un air narquois.
— Asseyez-vous, je vous en prie, dit Carolyn Wilder.
Raymond observait avec attention les moindres détails de la scène. Le tatouage rouge et bleu vif qui ornait l'avant-bras droit de Clement... La chemise de sport de Clement, assis à un bout du divan, les bras écartés, ses mains blanches reposant mollement sur ses genoux. La veste en jean jetée sur l'accoudoir, à côté de lui... Il y avait un dossier posé sur la table basse, ainsi que des lunettes aux fines montures sombres. Raymond remarqua que la forme de la cuisse de Carolyn Wilder se dessinait sous le tissu rouge sombre de sa jupe. L'avocate était assise à son bureau, les jambes croisées, tandis que son client avait pris place à l'autre bout de la pièce. Elle semblait détendue, bien qu'elle se tînt très droite dans son imposant fauteuil en cuir. Elle portait un chemisier blanc ouvert au col, et un élégant tailleur grenat. Ses cheveux châtains aux reflets clairs atteignaient presque ses épaules. Ses yeux étaient d'un brun très doux. Elle devait avoir dans les trente-cinq ans. Elle était plus jolie, bien plus jolie que dans le souvenir qu'il en avait gardé.
— Vous n'avez pas l'air très intéressé, lieutenant, dit-elle. Vous ennuyez-vous ?
Une idée traversa l'esprit de Raymond — prendre Clement par les épaules, le forcer à se lever, et le jeter contre le mur, suffisamment fort pour qu'il soit bien sonné. Puis il lui passerait les menottes, et répondrait : « Non, je ne m'ennuie pas. »

Qu'on en finisse.
Sans rien dire, Raymond se tourna vers Clement, qui plissait les yeux pour mieux le dévisager.
— Votre tête ne me dit rien, dit Clement.
— La vôtre si, par contre, rétorqua Raymond en soutenant son regard. (En fait, il fixait un point entre les deux yeux mi-clos de Clement.)
— Alors on s'est déjà rencontrés, hein ?
Raymond ne répondit pas. Carolyn Wilder soupira, et toussota discrètement.
— Ceci est-il en relation avec le meurtre de Guy ? demanda-t-elle.
Raymond tourna la tête vers elle.
— Absolument.
— Quelle preuve avez-vous ?
— J'ai des témoins.
— Je ne vous crois pas.
— J'ai une voiture.
— Merde, il a même pas de témoins. C'est du vent, tout ça, lança Clement.
— Le champ de courses, et le lieu du crime, ajouta Raymond.
Carolyn Wilder se tourna vers Clement.
— Vous, ne dites rien surtout, à moins que je ne vous pose une question. Allez-vous lui donner lecture de ses droits ? reprit-elle à l'adresse de Raymond.
— C'est une idée à laquelle je n'avais pas pensé...
Carolyn Wilder l'étudia pendant quelques secondes, puis haussa les épaules.
— De toute façon, il ne dira rien.
— Puis-je lui poser une question ?
— Laquelle ?
— Est-ce qu'il était au volant d'une Buick Riviera immatriculée PYX 546, la nuit dernière ?
— Non, il ne répondra pas à cette question.
Le regard de Clement revint se poser sur Raymond. Visiblement, il s'amusait beaucoup.
— Puis-je demander s'il a vu Sandy Stanton récemment ?
— La voiture est à elle ?
— A un ami à elle.
— Je ne crois pas que vous puissiez même rassembler de preuves indirectes. De plus, pourquoi prenez-vous toute cette peine ? Il ne dira rien.

Raymond s'adressa alors directement à Clement.

— Comment ça va, à part ça ?

— On peut pas se plaindre... Je commence à vous remettre. Cette fois-ci, vous avez une moustache, c'était quoi, il y a trois ans ?

— Rien. Je viens de me la faire pousser.

Raymond sentait posé sur lui le regard de Carolyn Wilder.

— Vous étiez plus costaud, à l'époque. Je me souviens... Le genre tranquille, qui dit pas grand-chose.

— Ce n'était pas mon enquête. Je ne crois pas vous avoir parlé.

— Ouais, je me souviens de vous, maintenant. Comment il s'appelait, le rouquin... Ils étaient plutôt blondasses, ses cheveux.

— Hunter. Le sergent Hunter.

Clement retrouva son sourire narquois.

— Il a essayé par tous les moyens de me faire dire que c'était moi qui avais appuyé sur la détente. C'était dans c'te p'tite piaule, avec tous ces drôles de casiers, hein ?

Raymond hocha la tête. Il avait conscience que le rapport étrange qui s'était établi entre eux excluait l'avocate, en faisait une intruse.

— Quand il m'a fait entrer là-dedans, j'ai cru qu'il allait me faire passer à travers le mur à coups de poing. Il m'a pas touché, mais c'était pas loin. Ça, je l'sais, demandez-lui !

— Vous vous êtes baladé, depuis Milan ?

— Je crois que nous devrions tous rentrer chez nous, interrompit Carolyn Wilder en esquissant un mouvement pour se lever.

— C'était pas trop mal à Milan, reprit Clement. Vous savez, y'a eu des gens célèbres, là-bas, à une époque. Frank Costello ; et puis d'autres, je me souviens pas des noms mais ça me reviendra.

— Tu t'es pas attiré trop d'ennuis ?

— Tant que j'ai cette p'tite dame, là...

Il gloussa, tout à fait à son aise maintenant.

— Ça m'intéresserait de savoir comment vous pensez que vous allez me mettre le juge sur le dos.

— Ce sera tout, dit Carolyn Wilder.

Clement se tourna vers elle.

— Il peut rien utiliser de ce que je dis contre moi. Il a pas lu mes droits.

Il minaudait à présent, et s'amusait de plus en plus.

— Vous pouvez dire ce que vous voulez, je ne le retiendrai pas contre vous, fit Raymond avec un sourire qui ressemblait plutôt à une grimace.

Carolyn Wilder se leva. Elle passa la main sur sa jupe pour effacer un faux pli.

— Il en peut plus, fit Clement. Il a sa petite idée sur ce qui est arrivé au juge, mais il arrive pas à trouver quelqu'un pour la... c'est quoi le mot ? Corrab... Corrober ?

— Corroborer, dit Raymond. On apprend des mots, à force de traîner dans les salles d'audience et les prisons municipales, hein ?

— Ouais, y'en a même qui arrivent à connaître la loi sur le bout des doigts, comme ça. Ça peut servir...

— Lieutenant, bonsoir, coupa Carolyn Wilder.

— Je peux téléphoner ? demanda Raymond.

Elle désigna son bureau d'un signe de tête. C'était une longue table en bois massif, dont la teinte sombre se détachait sur une fenêtre aux stores métalliques. Des gravures dans des cadres d'acier étaient accrochées aux murs.

Raymond traversa la pièce, décrocha le téléphone et composa un numéro.

— Jerry ? dit-il après un moment. Je te retrouve au commissariat ? A tout à l'heure.

Puis il raccrocha. Il se demanda si les deux autres avaient entendu la voix de Hunter, dans le téléphone, qui disait : « Va te faire foutre, je décolle pas d'ici, mec. C'est *super*, cet endroit ! »

Clement était en train de parler à Carolyn Wilder. Ils se tenaient debout, à cinq mètres de Raymond à peu près. Clement avait posé sa main sur le bras de la jeune femme, qui le regardait en fronçant les sourcils, avec l'air de ne pas comprendre. Puis elle se dégagea brusquement, comme frappée de stupeur ou choquée. « Quoi ! » jeta-t-elle. Clement haussait déjà les épaules. Après avoir grommelé quelques mots d'adieu, il tourna les talons et sortit du bureau.

Il y eut un silence.

— Que se passe-t-il ? demanda Raymond en s'approchant de la jeune femme.

Toute à ses pensées, elle ne répondit pas. Ce n'était plus l'avocate qu'il avait vue au tribunal, mais une femme surprise dans un moment de désarroi, une jeune fille même, toute vulnérable, qui venait d'être grossièrement insultée, ou d'apprendre un terrible secret. Raymond avait envie de la toucher, les mots vinrent tout seuls.

— Puis-je vous aider, Carolyn ?

Il en était lui-même surpris... Il l'avait appelée par son prénom, mais, pourtant, cela paraissait tout naturel. Elle y fut sans doute sensible, car elle tourna vers lui un regard où la méfiance avait fait place à une sorte de prudence, comme si elle cherchait à s'assurer des intentions qu'elle percevait dans sa voix.

— Avez-vous entendu ce qu'il a dit ?

Raymond secoua la tête.

— Non.

— Rien du tout ?

— Non, je n'ai rien entendu.

Elle ramassa le dossier posé sur la table basse, puis retourna à son bureau.

— C'est vraiment un drôle de type, dit-elle d'une voix où perçait une sorte de lassitude.

— Un type qui tue des gens.

— A qui le dites-vous ! Vous êtes flic depuis suffisamment longtemps, je le sais, je vous ai déjà vu plusieurs fois, pour connaître mon boulot. Et ce n'est pas moi qui vais vous apprendre le vôtre.

— C'est vrai, mais puis-je vous aider malgré tout ?

Elle hésita. Elle le regarda droit dans les yeux, parut sur le point de parler. Mais elle hésita une seconde de trop. Elle détourna les yeux, les ramena vers lui, les détourna de nouveau. Un instant plus tard, elle s'était rassise à sa table, et lui offrait un visage qui ne portait plus aucune trace d'émotion.

— Je ne doute pas de la sincérité de vos intentions...

— ... Mais cela ne me regarde pas, coupa Raymond.

Il tira de sa poche une carte de visite, sur laquelle étaient imprimées ses coordonnées à la septième brigade.

— Jusqu'à ce qu'il vous effraie de nouveau, dit-il en posant le carton sur le bureau. Et que vous admettiez que vous avez peur.

— Bonsoir, lieutenant.

— Bonsoir, Carolyn.

En partant, Raymond se demanda s'il devait se féliciter de n'en avoir pas trop dit, ou bien s'il aurait dû insister pour l'aider, et en dire beaucoup plus.

A côté des toilettes des hommes, tout en téléphonant à la Criminelle, Hunter ne quittait pas des yeux la fille élancée en veste de fourrure à large ceinture de cuir. Il dit aux policiers qu'une Chevy Impalo jaune clair, année 79, TBF 781, se dirigeait vers le sud sur Woodward, et qu'elle passerait sur l'échangeur de Eight Mile dans douze minutes environ. Il leur demanda de vérifier ce qu'on savait sur la voiture, d'appréhender le conducteur et de l'emmener au bureau 527 du poste central. Lorsque son correspondant demanda le motif de l'arrestation, Hunter répondit : « conduite sans permis valide ».

De retour au bar, il se faufila à côté de la fille en veste de fourrure. Immobile, elle lui présentait son profil, menton relevé.

— Au cas où on ne tombe pas amoureux dans les dix minutes, vous voulez pas me donner votre numéro de téléphone, qu'on réessaye un peu plus tard ?

La fille lui jeta un coup d'œil par-dessus son épaule.

— J'ai rien contre l'amour, camarade, jeta-t-elle d'un ton vaguement désenchanté, mais je ne vais certainement pas me fouler pour racoler un flic. Même si je pensais qu'il avait de quoi payer.

11

Ils firent attendre Clement quarante minutes dans la pièce où l'on menait les interrogatoires (celle aussi où l'on rangeait les dossiers). Puis Wendell Robinson entra pour commencer la séance.

Il était près de dix heures du soir. Les jambes croisées sur le coin de son bureau, Raymond Cruz ferma les yeux, ébloui par les lampes fluorescentes. Hunter faisait du café et parlait de Pamela. Elle avait la vie dure en ce moment, Pamela, avec toutes ces filles là-bas qui comprenaient rien au boulot et qui se bradaient pour des Amaretto avec des glaçons, des Kaouas-crèmes... Raymond n'écoutait qu'à moitié. Il se repassait des images fugitives de la Carolyn Wilder qu'il avait découverte ce soir. Il se demandait ce que Clement avait bien pu lui raconter, et si, dans une situation différente, à un moment propice, il arriverait à lui parler.

La pièce de rangement ne comportait pas de fenêtres, mesurait environ deux mètres sur quatre, et avait pour tout mobilier trois chaises pliantes, un vieux bureau, et des étagères encastrées dans le mur, sur lesquelles étaient disposés les dossiers des affaires classées. Sur le mur, derrière Clement, il y avait une tache noirâtre informe, à l'endroit où des milliers de têtes s'étaient appuyées, au cours des interrogatoires.

— Tu connaissais bien Edison ? demanda Wendell.

Clement eut un sourire narquois.

— Detroit Edison * ?
— Thomas Edison.
— Je comprendrai jamais rien à l'humour des nègres.
— Le type dont tu conduisais la voiture, ce soir.
— C'est comme ça qu'y s'appelle ? Moi je l'ai toujours appelé Tom. C'est le seul nègre que je connais qui a une Chevy. Il me l'a prêtée.
— C'est un copain à toi ?
— Un copain d'un copain.
— Il est portier, c'est ça ? Il bosse au 1300 de la rue Lafayette. C'est là qu'il habite l'autre copain ?
— J'ai oublié qui c'était, le copain qu'était copain avec le vieux Tom.
— Sandy Stanton habite là-bas. C'est une bonne copine à toi, non ?
— Je la connais.
— Elle t'a prêté la Buick, hier soir ?
— Vous me faites marrer, vous autres. Vous faites comme si vous savez quelque chose. En fait, vous savez rien, sinon, j' serais déjà en train d'attendre d'être interrogé à la prison municipale, de l'autre côté de la rue.
— Si on voulait être méchants, on pourrait t'y faire passer un bout de temps maintenant. Conduite après retrait du permis, ça va chercher déjà loin, ça.
— Quoi ? A cause de cette histoire de conduite en état d'ivresse ? Bordel, vous essayez de me menacer avec une putain de contredanse ?
— Evidemment, ça c'est pas grand-chose pour un type de ton acabit. Non, je pensais plutôt à ce que tu dirais si tu te retrouvais en cabane avec tous ces espèces de nègres.
— Pourquoi ? Y'a que des nègres qui foutent le merdier dans cette ville ? Ou alors, ça serait-y que les flics ont une dent contre vous autres ? Si j'étais un nègre, moi, je me laisserais pas faire.
— Ah ouais, et qu'est-ce que tu ferais ?
— J' me casserais. Cette ville, c'est rien qu'un trou à nègres, avec quelques Blancs par-ci par-là pour le décor. Y'en a même qui fricotent ensemble. Y devrait y avoir des bâtards partout. Mais je crois bien qu'ils font que baiser. Pas comme avant, dans les plantations, où ils pondaient aussi tout plein de mômes... Vous voulez que je vous dise ?

* N.D.T. : Detroit Edison, centrale électrique de la ville de Detroit.

— Quoi ?
— Un de mes meilleurs potes est un nègre.
— Ah ouais, comment il s'appelle ?
— Vous le connaissez pas.
— Pas sûr. Tu sais, nous autres les nègres, on est tous des frères.
— Conneries... Vous vous massacrez le samedi soir.
— Je suis simplement curieux. Comment il s'appelle, ton type ?
— Alvin Guy, fit Clement avec un sourire triomphant.
— C'est vrai ça ? Tu le connais ?
— Putain, je pourrais vous faire avaler n'importe quoi, hein ?

— Si y'avait eu une fenêtre, j'aurais sérieusement pensé à le balancer à travers, dit Wendell.
Raymond hocha la tête.
— Je te comprends.
— Il te donne rien à quoi tu puisses t'accrocher, ce salaud. Tu vois ce que je veux dire ? Il te fait tourner en rond avec toutes ses salades à la con, tu sais même plus qui pose les questions à qui ! Tu comprends, lui, il a buté le juge et il est allé se coucher. Nous, ça fait deux jours et une nuit qu'on est debout.
— Rentre chez toi, dit Raymond.
— Si tu veux, je remets ça.
— On va laisser l'autre pro tenter sa chance, dit Raymond en jetant un coup d'œil à Hunter. Si on arrive pas à le faire cracher ce soir, on le relâche dans la nature, et ça sera pour une autre fois.
Hunter se leva de son bureau.
— Tu veux regarder un peu comment on fait du bon boulot ? dit-il.

Aucun membre de la brigade n'aurait pu expliquer pourquoi Hunter était la star de l'interrogatoire, pourquoi les suspects se confiaient souvent à lui et pourquoi les aveux qu'il en tirait étaient presque toujours entérinés par le tribunal. Parce que les gros méchants avaient l'impression qu'il était des leurs, disait Maureen. Selon Hunter, parce qu'il était patient, compréhensif, attentif... Et il citait la fois, l'hiver dernier, où le jeune suspect qu'il interrogeait avait admis avoir « ouais, plus ou moins étranglé » deux femmes, alors qu'il était « un peu trop défoncé à la cocaïne ». Il avait cru que la ceinture de l'une des deux était un serpent, et il avait voulu voir ce que ça donnerait autour de leurs cous. (C'était comme ça que ça avait commencé. Ils avaient un peu bu, reniflé quelques grammes...) Mais il refusait de dire ce qu'il avait fait des corps. De toute façon, on les retrouverait bien au printemps, lorsque la neige aurait fondu, avait dit Hunter. Puis il avait ajouté : « A moins que tu ne ressembles à une bête, et que tu ne les aies entreposés quelque part pour l'hiver. » Le type avait paru troublé par cette remarque faite en passant. Hunter avait immédiatement suivi la piste, en demandant au gars s'il aimait les bêtes, si elles lui faisaient peur, s'il se passait quelque chose de spécial entre elles et lui... Le suspect avait alors fermement déclaré qu'il haïssait les bêtes, les rats surtout... Quand il était retourné à la ferme abandonnée, quelques jours après, en voyant que les rats avaient commencé à « grignoter » les deux femmes, il avait aussitôt fait le nécessaire pour empêcher qu'elles ne soient « complètement bouffées ». Il les avait découpées en morceaux avec une scie à métaux, et fait brûler dans le poêle à charbon. Non, il était pas une bête, lui...

— Dès que tu vois une brèche, expliquait Hunter, tu fonces. Et tu laisses pas sortir le type avant qu'il ait lâché quelque chose.

— Tu te souviens de cette pièce? demanda Hunter à Clement.

— Ouais. Je me souviens de toi aussi.

— Tu te mets toujours de la graisse sur les cheveux?

— Non, j'aime mieux le genre naturel, maintenant.

— Tant mieux. La dernière fois, t'as bousillé le mur avec cette espèce de cambouis que t'avais étalé sur tes tifs.

Clement jeta un regard au mur par-dessus son épaule.

— Ça vous arrive jamais de nettoyer, ici?

— Si, on lave au jet d'eau toutes les semaines. Comme au zoo, pour se débarrasser de la puanteur.

— Vous êtes quoi, vous? La brute? D'abord le nègre, ensuite vous. Il vient quand, le brave type?

— C'est moi, le brave type. T'auras pas plus brave après ça.

— Vous m'avez pas lu mes droits.

— Je m' suis dit que tu les connaissais déjà par cœur. Tu veux que j' te les lise ? Attends, je vais te faire ça tout de suite.

Hunter sortit de la pièce. Dans le bureau de la brigade, Raymond Cruz était toujours assis à sa place, les yeux fermés. Hunter se versa une tasse de café, prit un formulaire des droits constitutionnels, puis retourna dans la salle des dossiers. Assis derrière le bureau, il lut le premier paragraphe du document à Clement.

— Bon, tu connais les droits, maintenant ? Alors, signe ici.

Il poussa le papier et un stylo du côté de Clement.

— Et si je veux pas signer ?

— J'en ai rien à foutre que tu signes ou pas. Je mettrai que t'as refusé, et que tu nous as donné du fil à retordre.

— Mais pourquoi est-ce que j'ai besoin de signer ?

— Je viens de t' le dire, connard, t'es pas obligé.

— Je suis ici pour quoi, au juste ?

— Parce que t'as été arrêté.

— Parce que j'avais pas de permis ? Qu'est-ce que ça a à voir avec tout ça.

— « Pendant que le prévenu était gardé à vue, on a examiné son dossier. Il y avait tout lieu de croire qu'il pouvait être impliqué dans un homicide. Il a donc été soumis à un interrogatoire. »

— Soumis, je vois ça d'ici... Là-dessus, mon avocat se lève, et dit « Votre Honneur, ce pauvre homme a été retenu contre sa volonté, sans qu'aucune plainte n'ait été enregistrée, et sans qu'on lui ait lu ses droits de citoyen. » Je sais même pas pourquoi je suis ici, mon pote. Personne m'a encore rien dit.

— T'es ici parce que t'es dans la merde, Clement. Jusqu'au cou.

— Ah ouais ? Un de mes copains est venu ici, une fois. Il a refusé de signer, et il s'est rien passé.

— Ecoute, Clement, regarde ce qui t'attend quand tu passeras en jugement, d'accord ? Qu'est-ce qui vaut mieux : on obtient un mandat d'amener contre toi, on t'arrête pour homicide avec préméditation, et t'es bon pour la perpétuité. Ou bien, on établit un rapport, comme quoi t'es venu faire une déclaration de ton propre gré. Sans avoir été arrêté ni contraint par la force, tu nous racontes l'accident...

Clement écoutait en souriant.

— ... au cours duquel un homme a perdu la vie, en utilisant tes mots à toi, avec toutes les circonstances atténuantes que tu veux, comme par exemple que ton état mental et émotionnel était à ce moment-là perturbé, ou que tu y as été incité de quelque manière, ou encore que tu as agi sous l'effet d'une menace dirigée contre ta personne... Qu'est-ce qui te fait rire ?

— Vous croyez que je suis pas allé plus loin que l'école primaire, ou quoi ? Pour me laisser entuber par ce tissu de merde... Je suis pas obligé de vous dire quoi que ce soit. Par contre, je peux vous dire tout ce que je veux, et vous pouvez pas vous en servir, parce que j'ai pas signé votre bout de papier. Alors, qu'est-ce qu'on fout ici ?

— C'est une simple formalité. Je dois te donner la possibilité de faire une déclaration. Si tu veux pas, alors on descend au garage, je te colle contre le mur, et je te rentre dans le portrait avec une voiture de la patrouille.

— Bordel, si on le pince pas avec le flingue, on l'aura jamais !

— Il a signé ?

— Non, mais quelle différence ça fait ? De toute façon, il dira rien. Il connaît la routine mieux que nous.

— Je vais essayer, dit Raymond. Rentre chez toi.

— Non, je reste encore un peu dans les parages.

— Mais non, rentre. Tout ce qu'on peut faire pour l'instant, c'est bavarder avec lui, alors...

— Comment ça va, Clement ?

— Vous, vous allez avoir des emmerdes. Carolyn vous l'a bien dit : tant qu'elle est pas là, il est pas question que vous autres vous m'interrogiez.

— Bon, si elle apprend que t'as passé la nuit ici, elle sera peut-être un peu en colère ; peut-être même qu'elle tapera un peu du pied. Mais elle sait bien que ça fait partie du métier : quand une occasion se présente, faut la saisir au vol. Si on passait à côté ? Tu veux du café ?

— Je me demandais bien qui ça serait, le brave type, dit Clement.

Clement s'installa au bureau d'Hunter. Tandis qu'il pivotait tranquillement dans son fauteuil, son regard tomba sur le panneau mural où étaient épinglées les deux cent soixante-trois photos des accusés, et qui s'étendait depuis le bureau de Norb Bryl, où Raymond avait pris place, au portemanteau près de la porte.

— Pauvres mecs... Vous les avez envoyés en cabane, tous ceux-là ?

— Quatre-vingt-dix-huit pour cent d'entre eux, oui. Ce sont les lauréats de l'année, jusqu'à ce jour.

— Quatre-vingt-dix-huit pour cent de nègres. Qu'est-ce que je fous ici, moi ?

— Tu veux que je te le dise ?

— J'aimerais bien que quelqu'un me le dise, ouais. Je devine ce que vous voulez, au fond, mais ce que je sais surtout, c'est que vous avez que dalle. Autrement, je serais déjà de l'autre côté de la rue.

— Je me suis peut-être emballé...

— Un peu, mon neveu !

— Tu sais bien comme on est impatient, parfois.

— Faut pas s'énerver. Bon, y'a quelqu'un qui a vu une bagnole quelque part...

— Sur le lieu du meurtre.

— Ah ouais ?

Le ton ne laissait rien paraître.

— Et au champ de courses d'Hazel Park. La voiture appartient à Del Weems, un ami de Sandy Stanton.

— Ah ouais ?

— Elle habite en ce moment chez Del Weems, et se sert de temps en temps de sa voiture.

— Ah ouais ?

— Et toi aussi. Je peux prouver que tu étais au 1300, rue Lafayette. Il suffit pour cela que j'interroge un certain nombre de personnes. Et il y a de fortes chances que j'arrive à prouver que t'étais à Hazel Park avec la voiture, en même temps que le juge, la nuit où il a été tué.

Il jeta un coup d'œil à la pendule accrochée au mur.

— Si on revenait vingt-deux heures en arrière, hein? Qu'est-ce que ça t'a fait, qu'on ait été sur ton dos aussi vite ?

— Y'a un magnéto caché quelque part, ici ?

Raymond leva les mains d'un geste d'impuissance.

— Pour quoi faire ?

— De toute façon, ça vous servirait à rien.

Clement rejeta la tête en arrière.

— Vous ne pouvez pas utiliser mes paroles contre moi, lança-t-il d'une voix forte, alors allez vous faire foutre.

— Je t'entends très bien, dit Raymond, affable. Je ne suis pas en train d'essayer de te rouler, avec la loi ou avec quoi que ce soit. Je pensais seulement que, toi et moi, on éviterait peut-être de perdre du temps si on connaissait nos positions respectives.

— Ça paraît logique. Sauf que c'est des conneries. Je ne vois pas ce que je gagne à être ici, moi... Dans cette espèce de trou minable. Pas vrai ?

— Tu n'as jamais comparu devant Guy, n'est-ce pas ?

— Non, je suis jamais allé dans sa salle d'audience.

— Ça ne peut donc pas être pour une raison personnelle.

— Mais c'est vraiment une idée fixe, bordel !

— La seule explication qui me paraisse valable pour l'instant, c'est que quelqu'un t'a payé.

Raymond marqua une pause. Clement ne disait rien. Raymond esquissa un sourire.

— Si ce quelqu'un apprend que tu es gardé à vue, ça se pourrait bien qu'il se dégonfle. C'est ce qui arrive, quand deux personnes ou plus sont impliquées dans un meurtre. Comme le type qui s'est fait descendre devant le *Soup Kitchen*, le promoteur, tu te souviens ? L'été dernier ? Et qui s'est fait condamner ? Le gars qui avait tiré. Pas celui qui avait tout combiné. Lui, il a vendu la mèche, et, en échange de ça, il a été gracié.

— Bordel de merde, vous allez pas vous mettre à imiter votre copain, l'autre tête de lard, non ? Il voulait me faire peur avec son histoire, comme si j'avais du yaourt ou un truc du genre à la place du cerveau.

— Bon, il vaudrait mieux que je déballe ma marchandise au grand jour, alors.

— Ouais, ça vous soulagerait.

— Voilà ce qui va se passer dès qu'on aura prouvé que t'étais dans la Buick (et on sait déjà qu'elle était présente sur le lieu du crime), tu vas vouloir négocier le coup : tu nous donnes quelque chose à condition qu'on allège un peu les charges portées contre toi. Le problème, c'est qu'à ce moment-là, ça sera sans doute trop tard. C'est Clement Mansell qu'on a piqué, il est bon pour la perpétuité, un point c'est tout. Quelqu'un t'a payé ? Qu'est-ce qu'on en sait ? Et même, bien plus, qu'est-ce qu'on en a à foutre ? Tu vois, cette histoire ne soulève pas vraiment la fureur, ou l'indignation des foules. Y'a même des gens qui pensent que le gars qui a rectifié le juge devrait recevoir une médaille, au lieu d'être envoyé en prison. Cela dit, c'est un crime capital, donc on est obligé de suivre la procédure. Je veux que tu comprennes bien qu'on t'agrafera un jour ou l'autre, ça tu peux en être certain. *A moins que,* avant qu'on y passe du temps, qu'on en ait plein le cul, qu'on s'énerve et qu'on devienne méchants..., tu dises : « D'accord, voilà ce qui s'est passé, voilà le nom du type qui a allongé les billets... » *Là,* on pourrait sans doute faire quelque chose pour toi. Voir le procureur au sujet de l'homicide volontaire, par exemple. Qui sait, on arriverait peut-être même à décrocher l'homicide par imprudence, et à condamner à perpétuité le type qui t'a refilé le turbin. Tu piges ?

Clement appuya son avant-bras droit sur le bureau et dévisagea tranquillement Raymond Cruz, assis trois mètres plus loin.

— C'est bien joli, tout ça. Mais derrière toutes ces foutaises, vous voulez vraiment m'avoir, hein ?

— Je n'ai pas le choix.

— Vous en faites une affaire personnelle, hein, de cette histoire-là ?

Raymond réfléchit, puis haussa les épaules.

— Et pas qu'un peu ! continua lentement Clement. Ce qui vous embête, c'est que vous vous êtes déjà plantés, y'a trois ans. Vous aviez réussi à me faire condamner pour triple meurtre, y'avait des témoins plein à craquer. Et je me suis débiné. Vous arrivez pas à l'encaisser ça, hein ? Alors maintenant, pour vous rattraper, vous voulez me mettre le grappin dessus ; c'est là que ça devient une affaire personnelle. Pas vrai ? Vous en avez rien à foutre, qui c'est qui a tué le juge. C'est *moi* que vous voulez. J'ai raison ou pas ?

Raymond ne répondit pas tout de suite.

— Tu vois, dit-il, on arrive bien à savoir quelles sont nos positions respectives.

— J'ai raison ou pas ?

— Oui, je dois reconnaître qu'il y a du vrai dans ce que tu dis.

— J'en étais sûr. Vos raisons sont pas meilleures que les miennes. Vous parlez de tout déballer sur la table, d'examiner nos positions respectives. C'est pas par principe que vous êtes pour la loi et moi contre. Ce qu'y a, c'est qu'on se trouve pris dans une situation, et qu'on se met à jouer un petit jeu, tous les deux. Vous, vous essayez de m'attraper, et moi j'essaye de pas me faire prendre et de continuer à gagner ma croûte. Vous me suivez ? On a notre vie, on s'amuse bien, et on n'en a rien à cirer que les autres nous regardent ou pas, ou que ça finisse mal pour eux. On a chacun nos règles, nos mots à nous, et tout le bataclan. Vous, vous avez du monde de votre côté, tous ces poulets à tête de lard qui aiment mieux jouer que travailler. Mais moi, j'ai la loi pour me protéger, et tout ce que j'ai à faire, c'est de me la fermer, ne pas me fourrer avec des imbéciles, et vous arriverez jamais à me mettre ce putain de crime sur le dos. Ou aucun des autres.

Raymond hochait la tête d'un air songeur. Son esprit demeurait en alerte pourtant, mais il préférait ne rien laisser paraître de sa vigilance.

— Tu veux que je te dise, Clement ? Je crois que t'as raison.

Après un silence, il reprit :

— Quels autres ?

De nouveau, il y eut un silence.

Clement se pencha en avant, le bras toujours appuyé sur le bureau, comme s'il voulait se rapprocher de Raymond Cruz.

— Vous savez combien j'en ai descendu ?

— Cinq, dit Raymond.

— Neuf.

— A Detroit ?

— Non, pas tous à Detroit. Un en Oklahoma, un au Texas.

— Sept à Detroit ?

— Exact. Mais y'en avait cinq, non, six, qui étaient des nègres.

— En comptant le juge Guy ?

— Comptez qui vous voulez. J' suis pas en train de vous donner un compte rendu détaillé.

— C'était quand tu étais avec le Gang des saboteurs, hein ?

— J'étais tout seul la plupart du temps. Enfin, presque. L'autre gars, y faisait que dalle.

— Quand tu braquais les maisons des junkies, hein ?

Clement ne répondit pas.

— Comme celle de la rue Saint-Mary, celle du triple ?

Clement ne disait toujours rien.

— Je voudrais pas être indiscret, mais c'est que tu piques ma curiosité.

Raymond se cala dans le fauteuil de Norb Bryl et plaça ses jambes sur le coin du bureau.

— C'est intéressant ce que tu as dit, que c'était comme un jeu. Les gendarmes et les voleurs. Une vie qui n'a rien à voir avec ceux qui nous entourent.

— Sauf quand on a besoin d'eux. Alors ça devient des victimes, ou des témoins. Comme on veut.

— Mais au bout du compte, enfin, l'essentiel de tout ça, c'est que c'est entre toi et moi que ça se passe, hein ?

— Tout juste, mon pote.
— A une autre époque, il y a très longtemps, on aurait peut-être pu régler tout ça entre nous. Hein ? Si on en faisait tous les deux une affaire personnelle.
— Ou une occasion de se marrer... Vous êtes marié ?
La question surprit Raymond.
— Je l'étais, oui..
— Vous avez une famille, des gosses ?
— Non.
— Alors vous vous ennuyez un peu, vous avez rien à faire, et vous passez plus de temps au turbin.
Raymond ne dit rien. Il regarda la pendule. Il était onze heures quinze.
— Vous avez déjà tiré sur quelqu'un ? demanda Clement.
— Euh... pas récemment, non.
— Allez, combien ?
— Deux.
— Des nègres ?
Raymond se sentit mal à l'aise tout d'un coup.
— Quand j'étais aux Cambriolages.
— Avec ce petit revolver de poulet ? Au fait, je voulais vous demander, ça sert à quoi, ces élastiques autour de la crosse ?
— Pour l'empêcher de glisser.
— C'est foireux, ça, vaut mieux avoir un étui. Merde, vaut encore mieux un flingue de taille normale. Au lieu de ce p'tit joujou de bonne femme.
— Ça marche.
Raymond avait une impression de déjà vu... On aurait dit une conversation de flics, buvant de la bière autour d'une table de l'*Athens Bar*...
— Ah ouais ? dit Clement.
Son regard balaya la pièce, puis revint se poser sur Raymond Cruz, toujours assis, les jambes sur le bureau.
— Comme ça, tu te débrouilles avec, hein ?
Raymond haussa les épaules.
— Je suis reçu chaque année.
— Ah ouais ?
Clement fixait Raymond droit dans les yeux à présent.
— Ça serait marrant qu'on se fasse un concours de tir, un de ces jours, non ?
— Je connais un endroit, à Royal Oak. Dans la cave d'une quincaillerie.

— Je parle pas d'un endroit, dit Clement sans quitter Raymond des yeux. Je pensais, en pleine rue.

Il marqua un arrêt pour juger de l'effet produit.

— Par exemple, au moment où on s'y attend le moins, reprit-il.

— J'en parlerai à mon chef... Pour voir ce qu'il en dit.

— Vous ferez rien du tout. Parce que vous savez bien que je plaisante pas.

Ils se dévisagèrent en silence. Raymond se demandait si, ça aussi, cela faisait partie du jeu : à celui qui détournerait les yeux le premier. Un jeu de gosses, sauf que cette fois-ci, c'était pas pour rire.

— Je peux te poser une question ?

— Ouais, quoi ?

— Pourquoi est-ce que t'as tué Guy ?

— C'est pas vrai ! s'exclama Clement. Tout ce temps qu'on a parlé, et moi je me disais qu'on avait fait du chemin. Quelle différence ça fait, *pourquoi* ? On est là, en train de se regarder, de se mesurer l'un l'autre, non ? Qu'est-ce que ça a à voir avec Guy ? Ou avec autre chose ?

12

Quelques mois auparavant, le *Detroit News Magazine* avait fait paraître un article dans le supplément du dimanche, sous le titre « Femmes au travail ». Huit femmes y parlaient de leurs professions respectives. Chacune d'elles avait été photographiée « en pleine action ». Le groupe se composait d'une conductrice de grue, d'une ingénieur dans l'automobile, d'une directrice d'agence immobilière, d'une maîtresse de maison, d'une avocate, d'une serveuse, d'une décoratrice et d'une adjointe municipale.

L'avocate était Carolyn Wilder. La photo la montrait debout près de son bureau, vêtue d'une veste en daim. Sur le mur derrière elle, légèrement floue, on pouvait lire cette citation :

Quoi que fassent les femmes, elles doivent le faire deux fois mieux que les hommes pour être jugées deux fois moins bonnes. Heureusement, ce n'est pas difficile.

Charlotte Wilton,
maire d'Ottawa, 1963.

Sous la photo, qui avait pour légende : « Carolyn Wilder, avocat, est la plus ancienne des associés de Wilder, Sultan et Fine, Birmingham », le texte suivant était imprimé sur deux colonnes :

« J'ai d'abord cru que j'étais une artiste. J'ai suivi les cours du Centre des études artistiques pendant trois ans. Puis, lorsque je jugeai que je savais dessiner et peindre correctement, je partis avec mon carton à dessin sous le bras, et trouvai du travail dans le département artistique d'une agence de publicité pour automobiles, très connue. On y parlait beaucoup d' « art », certes, mais on en tenait bien peu compte dans les choix publicitaires. J'épousai l'un des directeurs « artistiques ». Quinze mois plus tard, j'étais renvoyée, et divorcée, pour cause d'insubordination (quelques échantillons mal reçus dans un cas, pas d'enfant dans l'autre).

« Ma reconversion au droit est une histoire assez compliquée ; je suis pourtant partie avec un but très précis, qui m'a amenée à passer mon diplôme de l'université de droit de Detroit, puis à consacrer deux ans à l'Association de la défense et de l'aide juridique. Cette dernière expérience m'a préparée au droit pénal tel qu'il est exercé chaque jour au palais de justice Frank Murphy. Mes clients sont pour la plupart inculpés de crimes graves : homicides, viols, vols à main armée et voies de fait. Soixante-dix-neuf pour cent d'entre eux sont acquittés, mis en liberté surveillée ou obtiennent une ordonnance de non-lieu. La question que l'on me pose le plus souvent, « Comment êtes-vous venue au droit pénal ? », renferme, implicitement, l'idée répandue que les femmes ont une haine naturelle de la violence, et que jamais, en aucune circonstance, elles ne pourraient aider des criminels à demeurer en liberté. Mais la vérité, c'est que les criminels sont un problème policier. Moi, je m'occupe d'individus accusés de crimes. »

Carolyn avait aussi trouvé le meilleur moyen de répondre aux questions stupides : elle avait fait sienne cette autre idée très répandue qui affirme que la vie est bien plus simple lorsqu'on adopte des attitudes du type « tout blanc ou tout noir ». Grâce à cette sécheresse qui la caractérisait, qui pour certains était la marque d'une réflexion profonde, elle avait acquis la réputation d'être une avocate extrêmement incisive à la cour. Les procureurs du comté de Wayne parlaient d'elle, non sans un certain respect, comme de la « Pucelle de fer ». Si on la rencontrait dans un ascenseur, elle saluait parfois, mais n'en faisait jamais une obligation... Et, en aucun cas, elle ne se serait mise à parler du temps qu'il faisait. Le procureur qui se trouvait en face d'elle au tribunal avait intérêt à soutenir une argumentation très bien documentée, et à ne pas se contenter d'insinuations ou d'effets dramatiques ; car Carolyn savait lancer une contre-attaque, armée de la connaissance parfaite qu'elle avait de la loi. Le bruit courait que les juges au tribunal de première instance se redressaient sur leur fauteuil, et prêtaient une oreille plus attentive, lorsque Carolyn était présente dans leur salle d'audience.

Raymond Cruz rencontra l'avocate au cinquième étage du palais de justice, alors que deux instructions s'y déroulaient et que les témoins et les parents des prévenus attendaient dans le couloir.

Il était onze heures du matin. Raymond sortait de l'une d'entre elles, au cours de laquelle il avait fourni l'identité d'une femme, Liselle Taylor, qu'une photo montrait attachée, et bâillonnée, au moyen d'une paire de bas. La victime avait été ensuite tuée de deux balles derrière la tête. Dans son témoignage, Raymond raconta que, lorsqu'il avait montré la photo à Alfonso Goddard, celui-ci avait déclaré ne pas connaître la morte. Mais, après quelques heures d'interrogatoire, il avait admis : « Oh ouais, je la connais. C'est quand vous m'avez demandé si c'était ma petite amie que j'ai dit non. C'était pas ma petite amie, vous voyez, on habitait ensemble, c'est tout... » Il y avait encore deux instructions prévues pour cette semaine. Au total, cinq enquêtes faisant partie des affaires « non classées » de la brigade...

C'est alors que Carolyn Wilder l'arrêta, en le prenant par le bras au milieu de la foule qui emplissait le couloir.

— Ne me faites plus jamais ce coup-là, dit-elle. Même si vous vouliez seulement lui offrir un verre, je m'en moque. Quand je dis que vous ne pouvez parler à un de mes clients qu'en ma présence, ce ne sont pas des paroles en l'air.

Raymond posa sa main sur celle de la jeune femme, qui la retira aussitôt.

— Que vous a-t-il raconté ? demanda-t-il.

— Que vous l'aviez arrêté, avec comme prétexte cette ancienne condamnation pour conduite en état d'ivresse...

— Nous l'avons relâché, non ? Ecoutez, j'ignore comment il est rentré chez lui, mais s'il continue à conduire sans permis, il va s'attirer de graves ennuis.

Carolyn ne broncha pas. Elle semblait profondément troublée, comme si elle avait été atteinte dans sa dignité. Raymond vit la brèche ; il fonça.

— Que vous a dit Clement, la nuit dernière ? Dans votre bureau.

De nouveau apparut l'air vulnérable, la vision fugitive de la fille qui avait parfois peur, et n'était plus aussi sûre d'elle.

— S'il a réussi à vous effrayer, *vous*, et cela est un compliment, c'est que ça devait être quelque chose de terrible.

— Votre remarque est tout à fait déplacée. Au cas où vous l'ignoreriez, ce que me disent mes clients est confidentiel.

— Oui, mais ça, c'était différent. Il ne vous a rien confié, il vous a terrifiée. Si vous aviez vu votre expression... C'était assez pour justifier une plainte pour agression ; ou pour avances inconvenantes, ou pour suggestions obscènes. Laissez-moi vous dire quelque chose, si vous n'êtes pas déjà au courant...

Après avoir jeté un regard autour de lui, il entraîna Carolyn par le bras, au milieu de la foule, et ouvrit la porte d'une salle d'audience vide.

— Asseyons-nous, voulez-vous ? dit-il.

Carolyn prit place sur l'un des bancs réservés à l'assistance (alignés comme ceux d'une église). Elle croisa les jambes, lissa sa jupe grise, puis passa le bras sur le dossier du banc pour se tourner vers Raymond. Visiblement, elle tenait à garder une distance entre eux.

— Qu'avez-vous à me dire ?

— Clement Mansell a tué le juge et Adele Simpson. Nous en sommes persuadés.

— Il ne vous reste qu'à le prouver.

Raymond promena lentement son regard sur la salle déserte. Puis revint à Carolyn.

— Cessez donc d'être l'avocate quelques minutes, d'accord ? Clement Mansell a tué *neuf* personnes. C'est-à-dire quatre de plus que celles que nous connaissons déjà, et sept pour lesquelles il ne sera jamais condamné. Il ne s'agit pas d'un pauvre homme égaré, de quelqu'un que l'on peut défendre parce qu'on a pitié de lui. Mais d'un sale tueur. Et qui aime ça. Il aime *tuer*, vous le comprenez, ça ?

— Même un sale tueur a certains droits aux yeux de la loi, répliqua calmement Carolyn Wilder. Hier soir, vous m'avez dit : « Il tue des gens. » Et je crois bien vous avoir répondu : « A qui le dites-vous ! » Nous connaissons tous deux la raison d'être d'une salle comme celle-ci. Si vous détenez une accusation contre Mansell, amenons-le ici, et examinons le dossier. En attendant, laissez-le tranquille. C'est compris ?

L'avocate se leva.

Raymond était congédié.

Devant plusieurs juges déjà, au moment où le mot final était prononcé, le marteau tombé, et l'affaire perdue, Raymond avait éprouvé une forte envie de cogner sur le magistrat. Alvin Guy, par exemple. Et aujourd'hui, c'était sur Carolyn Wilder. Cela lui semblait une réaction naturelle. Mais tout à coup, de façon aussi soudaine qu'étrange, il prit conscience que jamais il n'avait senti la même violence face à Clement Mansell. Il se voyait très bien le tuer, mais pas le frapper avec son poing. Simplement parce qu'il n'éprouvait aucune émotion.

Une fois sa stupeur passée, il se ressaisit. Il n'avait pas à se plier à une décision, aujourd'hui, à refouler des paroles qui pourraient trahir sa colère...

— Carolyn ? J'aimerais vous poser une question.

S'arrêtant, elle se retourna à demi. Son visage était figé. « Il n'y a personne », semblait-il dire. « Essayez seulement de m'atteindre... »

— Pourquoi tout à l'heure, dans le couloir, avez-vous dit : « Ne me faites plus jamais ce coup-là » ? C'est Clement qu'on a emmené au poste. Pourquoi n'avez-vous pas dit : « Ne *lui* faites plus jamais ce coup-là » ?

Sans un mot, Carolyn Wilder tourna les talons, et sortit de la salle.

Raymond se sentit soulagé... Un peu soulagé.

13

— Tu l'as interrogé ici ? Pas dans la salle des dossiers ? s'étonna Norbert Bryl.

— Il n'y avait plus personne dans le bureau. Moi j'étais assis exactement là où tu es en ce moment, et lui il s'est mis à la place d'Hunter.

— Bon Dieu, il faut que je regarde s'il ne m'a rien piqué dans mes tiroirs ! jeta Hunter.

— Qu'est-ce que t'as qui pourrait l'intéresser ? demanda Bryl.

Puis il pivota de nouveau sur son fauteuil pour faire face à Raymond.

— Bon, raconte comment vous en êtes arrivés aux neuf personnes.

La sonnerie du téléphone retentit.

— Réponds Maureen, tu veux bien ? dit Hunter. T'as qu'à faire comme si t'étais la secrétaire.

— Bon, d'accord, fit Maureen, assise elle aussi à son bureau, près de la porte de la salle des dossiers. Septième brigade, sergent Downey, j'écoute...

Wendell Robinson entra dans la pièce. Il était accompagné d'un jeune Noir, qui portait un T-shirt et un bonnet de laine. Wendell le fit passer dans la salle des dossiers, et referma la porte sur lui.

— Un autre petit copain de Liselle Taylor, dit-il. Celui-là, il croit que c'est Alfonso qui l'a tuée. Il dit que si on lui déchire ses contraventions (y'en a pour trois cents dollars) et qu'on lui rend le permis qu'il vient de se faire sucrer, il peut nous raconter des trucs qui nous convaincront.

— Dis-lui comment c'est la bouffe, de l'autre côté de la rue, dit Hunter.

— Il connaît déjà. Sans doute qu'il l'a trouvée bonne.

Raymond prit la parole.

— Au fait, avant que tu t'y mettes, qu'est-ce que t'a dit Clement, à propos d'un copain à lui, un Noir ?

— Il a dit : « Un de mes meilleurs potes est un nègre. » Je lui ai demandé comment il s'appelait, il n'a pas voulu me répondre.

— Mouais... fit Raymond, songeur. Et toi, Hunter, il t'a parlé d'un copain ?

— Comment est-ce qu'un enculé pareil pourrait avoir un copain ? Attends voir... Oui, il a dit quelque chose... Il voulait pas signer le formulaire, et il a dit... Ouais, il a dit qu'il avait un copain qui n'avait pas signé non plus, et qu'il s'était rien passé.

— Le Gang des saboteurs, dit Raymond. Ils ont jamais eu un chauffeur noir ?

Pas de réponse.

— Alors, c'était avant le Gang. Vous voyez où je veux en venir ? Il connaît un Noir qui a déjà été amené ici. Le type voulait rien dire... C'est peut-être pour ça que Mansell le considère comme un copain. Simplement parce que le type n'a pas parlé ? Comme ça, par principe ? Non, c'est parce que le Noir n'a pas parlé *de* Mansell. Hein, qu'est-ce que vous en dites ?

— Pas mal, dit Bryl. Je vais aller interroger l'ordinateur central. On verra bien ce qu'il dit.

— Renseigne-toi aussi auprès de Art Blaney, aux Cambriolages. Il a une mémoire du tonnerre, mieux qu'un ordinateur. Demande-lui s'il se souvient d'un Noir qui aurait été en cheville avec Mansell.

Au moment où Bryl sortait, un policier en uniforme apparut dans l'embrasure de la porte.

— Le juge Guy s'est fait tirer dessus quatre fois, avec un P.38, c'est ça ?

— Cinq fois, corrigea Hunter.

— Merde, j'ai joué le quatre, le trois et le huit.

La porte se referma.

— En plus, je parie qu'il a misé gros, ce connard, lança Hunter.

— Il m'a sorti qu'il avait descendu neuf personnes... continua Raymond. « A Detroit ? » j'ai dit.

La porte s'ouvrit toute grande.

Un policier noir en manches de chemise, un Magnum 44 à l'épaule, entra, les mains chargées d'une pile de papiers. Il se lécha le pouce pour attraper la première feuille.

— Qui veut ? dit-il. C'est le programme du grand tournoi de base-ball de la police... A neuf heures trente, les Homicides contre les Mœurs !

La porte se referma.

Maureen raccrocha.

— C'était la surveillance de la Criminelle. Mansell et Sandy Stanton viennent de quitter le 1300 de la rue Lafayette en taxi.

Le commissaire Herzog écoutait, les mains jointes comme pour la prière, les doigts pointés en direction du plafond.

— Il était en train de me raconter qu'il avait tué neuf personnes, dit Raymond. Sans rentrer dans les détails ; deux là-bas, sept ici. Alors, j'ai essayé d'obtenir des précisions. « Avec le Gang des saboteurs ? » lui ai-je demandé. Il m'a répondu que non. Pourtant, il y avait quelqu'un avec lui ; il a précisé que l'autre type n'avait pas fait grand-chose.

— L'autre, c'est le Noir ?

— Il n'a pas dit qu'il était noir, il a seulement mentionné qu'il y avait quelqu'un avec lui. Il a raconté à Wendell qu'il avait un copain noir. Il lui balançait du « nègre » à tout bout de champ, puis il a dit : « Un de mes meilleurs potes est un nègre. » Ensuite, il a dit à Jerry qu'un de ses amis avait été interrogé ici, et avait refusé d'ouvrir la bouche, ou même de signer la feuille des droits. C'est comme ça qu'on a réussi à tout faire coller. Norb est alors allé consulter l'ordinateur pour examiner tout ce que l'on a sur Mansell : toutes les arrestations, quels que soient les motifs, toutes les fois où il a été considéré comme suspect, interrogé, pour voir s'il y a pas eu un Noir à un moment quelconque de son passé.

Raymond s'interrompit. Par la fenêtre, derrière la crinière grise d'Herzog, il apercevait les derniers étages du gratte-ciel.

— ... Au fait, Clement et Sandy sont partis en taxi, il y a à peu près une heure. Mais la Surveillance les a perdus lorsqu'ils sont entrés dans le centre commercial *Tel-Twelve*.

— Comment se fait-il qu'ils n'aient pas pris la Buick ?

— Il a sans doute effacé toutes les traces. Plus question d'y toucher, maintenant.

— Vous auriez peut-être dû la faire enlever hier.

— Comme je vous l'ai dit, c'était une question de choix. Sandy a été filée tout le temps, les gars sont certains qu'elle n'a rien balancé. Et s'ils ne l'avaient pas suivie, M. Sweety n'aurait pas l'importance qu'il a aujourd'hui.

— Qui est M. Sweety ?

— Sandy s'est rendu hier à un bar de la rue Kercheval, *Chez Sweety*, vous vous souvenez ?

— Oui. Elle en est ressortie avec un type qu'elle a accompagné dans la maison voisine.

— C'était M. Sweety, et la maison, c'était la sienne.

— N'avez-vous pas dit hier que le type était un Noir ?

— Si. Et, d'après les renseignements qu'on a sur Mansell, est noir aussi un certain Marcus Sweeton, qui a fait quelques coups avec lui, avant qu'il aille se mettre avec le Gang des saboteurs. Sweeton s'est fait condamner à deux reprises, la deuxième fois il a été placé en liberté surveillée pendant deux ans, pour port d'arme illégal. Ça m'étonnerait qu'il ait très envie de plonger une troisième fois. Il se tient à carreau depuis. Il s'occupe du bar, *Chez Sweety*.

— Comment a-t-il obtenu une licence IV ?

— L'établissement est au nom de son frère. Sweeton soutient qu'il n'est que barman. Mais c'est lui qui fait marcher les affaires, et il habite la maison d'à côté, avec sa copine Anita. Le frère travaille chez Chrysler, à Mound Road. On est donc certains que Marcus est bien le M. Sweety de *Chez Sweety*. Art Blaney se souvient de lui.

— Pourquoi un ordinateur, quand on a Art Blaney ?

— C'est ce que j'ai dit à Norb. Paraît que Art a levé les yeux au plafond, comme s'il avait pris des notes là-haut... Marcus Sweeton ? Alias Dark Mark, Sweetwater, j'en passe... et, pour finir, M. Sweety. Il se fait dans les quinze mille dollars par an avec le bar, plus les vingt-cinq ou trente que lui rapporte la came... Mais c'est juste un petit commerce de quartier, rien qui vaille la peine de l'agrafer.

— C'est ça que vous appelez se tenir à carreau ?

— Tout est relatif. Ça vaut mieux que de se pointer chez les gens avec un flingue. Selon Art, Mansell se servait de lui pour lever le gibier. Sweety se rendait à la maison des junkies, il jouait le brave type, bavardait un coup, faisait circuler un peu de coke, racontait quelques blagues. Voilà comment ils faisaient le boulot : quand les gars étaient bien relax, après quelques lignes, Clement débarquait et il n'avait qu'à plumer toute cette bande de clowns aux sourires béats.

— Mais on peut le faire combien de fois, ce coup-là ?

— Ici, à Detroit ? Si on mettait tous les « magasins » de dope sur ordinateur, le listing qu'on obtiendrait descendrait jusqu'au bas des escaliers, traverserait le hall, sortirait dans la rue Beaubien...

— Ça va, j'ai compris. Bon, maintenant que vous avez un témoin possible pour un ou plusieurs de ces neuf meurtres dont se vante Clement, vous allez essayer de trouver un lien entre M. Sweety, le juge Guy et Adele Simpson ?

— Non, pas obligatoirement. Vous voyez, l'idée, au départ, c'est de retrouver ce vieux copain en question, de prouver qu'il a donné un coup de main à Mansell, et le faire parler. Au cas où on n'arriverait pas à le pincer pour le coup du juge et d'Adele. Je me suis dit : « Tiens, pourquoi pas suivre une piste que Clement nous a indiquée sans s'en apercevoir ; on le ramène au commissariat et... je vois d'ici la gueule qu'il tirerait. »

— Si vous réussissez... En tout cas, c'est pas ça qui va me faire reporter mes vacances.

— Non, ça, ce n'était qu'une première idée. Mais il y a encore mieux. Quoi ? Mansell descend le juge et Adele, et, le lendemain, Sandy Stanton va rendre une petite visite au vieux copain ? C'est un peu louche, non ?

— C'est bien ce que je disais, vous essayez de raccrocher Sweety au meurtre.

— Oui, mais pas forcément comme vous l'entendez.

— C'est-à-dire ?

— Bon... Supposons par exemple que Mansell ait été payé pour rectifier le juge, et qu'ensuite, il ait pris M. Sweety comme chauffeur.

— Dans ce cas, pourquoi Sweety ne s'est-il pas chargé de trouver la voiture ?

— C'est la première question. Et voici la seconde : puisque Mansell sait qu'on est au courant pour la Buick, est-ce qu'il irait dire à Sandy de la prendre pour aller chez M. Sweety le lendemain ?

— Je ne sais pas... Oui ? Non ?

— Ne serait-ce pas plutôt que Sandy y est allée de sa propre initiative ?

— Pour quelle raison ?

— Je n'en sais rien.

— Pourquoi ne pas le lui demander ?

— C'est ce que je vais faire. Dès qu'elle sera rentrée chez elle.

— Mais ensuite, elle racontera ça à Mansell, et il saura que vous avez flairé quelque chose du côté de M. Sweety. Comment évitez-vous ce problème ?

— Il s'agit d'un jeu, non ? Rien que d'un jeu... Dans le fond, pourquoi n'irais-je pas trouver Clement, tout simplement, pour le descendre ?

— Oui, pourquoi pas ? C'est encore la meilleure idée.

14

Au centre commercial *Tel-Twelve,* Clement acheta une carabine Ruger automatique calibre 22, dix coups (soixante-neuf dollars cinquante-cinq, au lieu de quatre-vingt-sept cinquante, prix marqué) et une boîte de cartouches. Puis, passant devant le rayon des machines à écrire, il demanda à la vendeuse s'il pouvait en essayer une. « Bien sûr », dit-elle en lui tendant une feuille de papier. Clement tapota avec deux doigts sur le clavier d'une Smith-Corona, puis arracha le papier et l'emporta avec lui. Un peu plus loin, il vit un chapeau de cow-boy qui lui plaisait, le mit sur sa tête, et sortit pour rejoindre Sandy qui l'attendait au garage Chevrolet, à cent mètres de là. Elle portait un jean moulant, et, perchée sur des bottes à hauts talons, déambulait entre les voitures d'occasion.

Lorsqu'elle le vit arriver avec son chapeau noir, et tenant à la main un sac en plastique d'où dépassait une longue boîte en carton, elle s'exclama :

— Mon Dieu ! Qu'est-ce que tu nous ramènes là ?

Clement répondit que c'était une surprise ; elle rayonna.

— Pour moi ?

— Non, pour quelqu'un d'autre.

Il parcourait du regard les rangées de voitures exposées à l'occasion de la « Promotion spéciale d'automne ».

— T'as choisi ?

La jeune fille l'entraîna vers une Pontiac Firebird au capot peint en rouge et or flamboyant, dont le pare-brise étincelait au soleil.

— Elle est pas mignonne ? Regarde-moi ça, elle grillerait toutes les autres en moins de deux, hein ?

— P'tit chou, je t'ai dit que je voulais une bagnole ordinaire. Pas pour faire la course dans les rues, ou pour frimer devant les MacDo. J'ai juste besoin d'une tire à ton nom en attendant que mes affaires s'arrangent. Tiens, voilà sept biftons de cent, c'est tout ce qu'on a pour le moment. Alors tu vas m'acheter une chouette petite voiture, et tu viens me prendre là-bas, si j'arrive à traverser Telegraph sans me faire écraser ; tu vois la pancarte *Ramada Inn* ? Je vais me prendre un verre en t'attendant.

Lorsque Sandy annonça qu'elle lui avait trouvé une Mercury Montego année 76, bleu ciel, et qui marquait seulement soixante mille kilomètres au compteur, pour six cent cinquante dollars taxe non comprise, Clement la félicita.

— Voilà ce que j'appelle du bon boulot.

Un gars qui, comme lui, aurait passé son enfance à voyager accroupi sur le plancher des camionnettes aurait sans doute rêvé de Mark VI et d'Eldorado. Mais pas Clement. Au cours de sa vie, il avait eu entre les mains plus de deux cent cinquante automobiles, de toutes marques. Il n'en avait acheté que deux, à dix-sept ans une Chevy année 56, et, plus tard, une TR-3, un jour où il se sentait spécialement en forme. Toutes les autres, il les avait volées. Il disait que les bagnoles étaient faites pour se trimbaler d'un endroit à un autre, ou pour aller ramasser un peu d'argent de poche. Si on voulait impressionner quelqu'un, lui en foutre plein la vue, merde, valait mieux lui mettre un petit 45 nickelé dans la bouche, et relever le chien.

Clement prit la direction du centre-ville et de la rue Lafayette. Mais avant de rentrer à l'appartement, Sandy voulut acheter quelques sodas. Pendant qu'elle se rendait au supermarché, au bout de la rue, Clement entra dans une cabine téléphonique. Il ouvrit l'annuaire.

Cruz, Cruz, Cruz. Non, il n'y avait pas de Raymond Cruz. Ça l'étonnait pas, d'ailleurs. Par contre, il y avait un M. Cruz (en ne donnant que l'initiale de leur prénom, les femmes pensaient éviter les coups de fil obscènes...). Clement était prêt à parier les vingt cents que lui coûterait la communication que M. Cruz était l'ex-femme de Raymond Cruz. Il composa le numéro.

La surveillance de la Criminelle téléphona pour prévenir Raymond Cruz que Sandy était de retour. Elle traversait la rue en direction du 1300 rue Lafayette, les bras chargés d'un sac à provisions. Seule. Moins de quatre minutes plus tard, une voiture déposait le lieutenant devant l'entrée de l'immeuble. Lorsqu'il pénétra dans le vestibule, Sandy avait ouvert la boîte aux lettres pour prendre le courrier de Del Weems.

— Tiens, bonjour, vous ! fit-elle en lui adressant un gentil sourire.

Raymond lui rendit son sourire. C'est vrai qu'elle était mignonne. Pour un peu, il aurait cru que ça lui faisait vraiment plaisir de le voir.

— Qu'est-ce qui vous amène par ici, sans être indiscrète ? Si c'est Del que vous cherchez, il est pas encore rentré.

— Non, c'est vous que je venais voir, Sandy.

— Ah...

Tiens, elle avait l'air moins réjouie, maintenant.

Dans l'appartement numéro 2504, Raymond se dirigea droit vers la baie vitrée, tandis que Sandy courait s'enfermer dans la salle de bains. Elle y demeura un long moment. Raymond écoutait (peut-être était-elle en train de jeter quelque chose dans les toilettes), mais aucun bruit ne parvenait à ses oreilles. Lorsqu'elle réapparut, elle portait un short en satin et un T-shirt sur lequel était imprimé un visage. Elle était pieds nus... Elle n'en pouvait plus de porter ce jean trop moulant, expliqua-t-elle. Si seulement toutes ces tenues inconfortables n'étaient pas aussi à la mode ! Mais qu'est-ce qu'on pouvait faire ? Si on voulait pas rester à la traîne... C'était comme les chapeaux de cow-boys. Chez elle, à la campagne, lorsqu'elle travaillait aux écuries municipales de Spring Mills, elle en portait tout le temps. Jamais elle aurait pensé que ça pourrait être un jour à la mode, et qu'on irait même se promener avec dans les magasins... Elle enchaînait phrase sur phrase, pour empêcher Raymond de parler. Peut-être que, comme ça, il oublierait pourquoi il était venu... Raymond eut tout le temps d'examiner le visage imprimé sur son T-shirt, et de méditer sur l'inscription « Sauvez Bert Parks ».

Mais elle hésita un peu trop longtemps.

— Où est Clement ? demanda Raymond.

— Bon, fin du chapitre sur la mode, c'est ça ? Je sais pas où il est.

— Vous l'avez déposé quelque part ?

— Vous me prenez pour une idiote, ou quoi ? Je ne vous dirai rien du tout. D'ailleurs, je suis déjà trop bonne d'accepter de parler avec vous. Vous voulez boire quelque chose ?

Raymond était sur le point de refuser, mais il se ravisa.

— Volontiers.

Il accompagna la jeune fille dans la cuisine (une sorte de

passage qui formait un coude, entre l'entrée et la salle à manger).

— Scotch ? proposa Sandy.

— Parfait.

Il la regarda sortir des glaçons, verser le Chivas, décapsuler une petite bouteille de soda au gingembre pour elle.

— Hou la la ! dit-elle après avoir avalé une gorgée. Ça pique le nez, mais j'adore ça !

— Vous avez de l'herbe ? demanda Raymond.

— Eh ben ! Faut vraiment pas se fier aux apparences, hein ?

— Vous avez du mal à en trouver ?

— C'est quoi que vous voulez, mon fournisseur ?

— Non, mais je connais un type dans le bureau du procureur qui a un bon filon. Je pensais que peut-être je pourrais vous aider. Enfin, au cas où ça marcherait pas avec M. Sweety.

— Eh bé... Je crois qu'il vaudrait mieux que je m'assoie. C'est que vous me faites peur, vous savez ?

— Paraît que M. Sweety a des p'tits ennuis ?

— Ça, qui n'en a pas ?

— Faut toujours choisir ses associés avec discernement.

— Ça, c'est bien vrai. J'ai l'impression que j'ai de mauvaises fréquentations, ces temps-ci. Si on allait dans l'autre pièce ? On est un peu à l'étroit, ici.

— Je voulais juste vous poser une question. Voyez-vous, nous allons bientôt interroger M. Sweety. Soi-disant, il travaillait, la nuit où le juge a été assassiné. C'est peut-être vrai... En tout cas, nous savons que vous magouillez avec lui.

— Je *magouille* ?

— Vous vous êtes rendue chez lui, hier.

— Pour chercher un peu de dope. Vous l'avez dit vous-même... vous savez bien que c'est un de mes fournisseurs.

— Oui, mais pourquoi Clement vous y avait-il envoyée ?

— Il ne m'a pas envoyée. Il ne sait même pas que j'y suis allée.

Sandy s'interrompit.

— Hé là, attendez une minute. J'emmêle tout, maintenant. J'y suis allée hier pour chercher un peu d'herbe, un point c'est tout. Ça n'a rien à voir avec quoi que ce soit d'autre.

— Clement vous a laissée prendre la voiture ?

— C'est pas la sienne, c'est celle de Del Weems.

— Je sais, mais je me demandais seulement pourquoi il vous aurait laissée y aller.

— Mais je lui avais même pas dit que j'irais! Je viens de vous le dire.

« Oui, c'est la seconde fois », pensa Raymond. Bon, il la croyait... Parce que c'était logique. Ce qui le contrariait le plus, c'était de se trouver en face d'explications illogiques qui le forçaient à changer son raisonnement.

Elle était troublée. Bon signe, ça. Il continua sur la même voie.

— Enfin, si on réfléchit bien... On a retrouvé une voiture qui a été vue sur les lieux d'un crime, la Buick de Del...

Sandy roula des yeux effarés. Une petite fille, debout devant lui en short de satin, bouts de seins pointant sous Bert Parks. Une petite chose toute maigrelette. Il avait presque pitié d'elle.

— Qu'est-ce qui ne va pas ? demanda-t-il.

— Oh, rien... Nom de Dieu.

— On n'a pas encore prouvé que Clement se trouvait dans la voiture, mais ce qu'on sait, c'est que c'est lui qui a descendu et le juge et Adele Simpson.

— Ça y est, un p'tit coup de baratin... J'ai l'air si poire que ça ?

— Vous n'avez qu'à le lui demander. Mais voilà ce qui nous intéresse : qu'est-ce que Clement dirait s'il apprenait que vous vous êtes rendue, au volant de cette même Buick, chez un homme qui travaillait autrefois avec lui, et qui est un suspect possible dans le meurtre de Guy ? Vous voyez ce que je veux dire ?

— Si je vois ? Vous blaguez ou quoi ?

— Alors, le problème, c'est pas tellement que Clement ne sache pas que vous êtes allée chez M. Sweety, hein ? Vous ne *voulez* pas qu'il sache.

— Puisque c'est vous qui le dites...

— Et pourquoi vous voulez pas qu'il l'apprenne, Sandy ?

— Il aime pas que je fume trop d'herbe.

— Par exemple, quand vous êtes un peu nerveuse, ou troublée ?

— Ouais, c'est ça.

— Eh bien, Sandy, vu la tournure que prennent les choses, vous feriez mieux de vous trouver tout de suite un bon kilo de colombienne, et de la meilleure !

15

Clement n'avait jamais fait de patin à glace de sa vie, mais, selon lui, Palmer Park devait être un bon endroit. Ce n'était pas une piste circulaire, comme la plupart des patinoires, mais un lac qui s'étendait sur plusieurs hectares, avec des îles boisées entre lesquelles on pouvait patiner. C'était surtout un bon endroit pour balancer le Ruger quand il en aurait fini. Il se gara près du stand des boissons, puis, coupant à travers bois, il longea l'allée Merrill Plaisance, jusqu'aux buissons où il avait caché la carabine quelques minutes auparavant.

Il était presque six heures. La lumière baissait vite. Carabine en main, il s'approcha de la lisière des arbres. De là où il se trouvait, il avait vue sur un immeuble de quatre étages, en forme de L, qui s'élevait juste en face de lui, de l'autre côté de l'avenue Covington ; c'était là qu'habitait le lieutenant Raymond-tête de lard-Cruz, le flic à la moustache triste et aux manières tranquilles (ou bien il était poli, ou bien un peu ramolli).

Lorsqu'une voix de femme (l'ex-femme du flic) avait répondu au téléphone, Clement avait demandé :

— C'est quoi déjà, l'adresse de Ray ? Je l'ai perdue... Et le numéro de l'appartement ? Ah oui, c'est au rez-de-chaussée, c'est ça ?

Puis il avait relevé sur la boîte aux lettres le nom de la concierge. Au téléphone, il s'était présenté comme le sergent Hunter... Les copains préparaient une petite surprise pour le lieutenant Cruz. Ils passeraient le surprendre chez lui, et, au moment où il aurait le dos tourné, ils rentreraient par la fenêtre ce qu'ils lui avaient acheté comme cadeau, une chaîne stéréo. C'est pour ça qu'il voulait savoir quelle fenêtre était la sienne. Dans ce quartier, avait répondu la femme, ils feraient bien de mettre un policier à côté du paquet, sinon c'est eux qui auraient la surprise en allant le chercher.

Il y avait trois fenêtres, une avec un appareil d'air conditionné, une avec une plante verte, et une, la plus proche du coin de la rue Covington, avec des stores à demi relevés.

Six heures dix.

Il rentrait chez lui vers six heures et demie, avait dit la concierge. Il occupait l'appartement à côté du sien. D'ailleurs, lorsqu'elle était dans sa cuisine, elle entendait la porte claquer... Parfois, il mettait de la musique... N'avait-il pas déjà un tourne-disque ? Oui, un appareil médiocre, avait dit Clement. Ce qui était sans doute vrai. Bon, il fallait qu'il guette une Plymouth bleue, quatre portes... Il avait entendu dire que les flics n'utilisaient jamais leur propre voiture pour se rendre au boulot, parce qu'aucune compagnie d'assurances n'acceptait de les couvrir.

Six heures vingt. Une lueur rouge s'attardait dans le ciel. La façade du bâtiment s'estompait un peu à présent. Quelques appartements seulement étaient éclairés. Clement s'essaya à viser les fenêtres sombres. Un tir de cinquante mètres environ... Mais c'était pas évident, à cause des voitures qui roulaient sur la route, devant lui.

Peut-être que cet oiseau-là se servait de sa propre voiture... Ou bien peut-être que les lieutenants avaient droit à une autre couleur que ce bleu merdique. Clement n'était pas du genre à se faire de la bile pour rien : si ça marchait, tant mieux, sinon, tant pis. Si Cruz ne rentrait pas chez lui ce soir, il reviendrait le lendemain. Clement n'avait pas l'intention de poireauter toute la nuit. Mais un peu de patience ne faisait jamais de mal à personne. Le plus souvent, même, ça payait. Aussi, lorsque l'appartement de Raymond Cruz s'éclaira, il ne fut ni surpris ni même excité. Ça devait arriver, tôt ou tard. Après avoir calé sa carabine contre un arbre, il mit en joue la silhouette qui se déplaçait dans l'appartement, et attendit une accalmie dans le trafic.

Raymond était entré dans l'immeuble par la porte de service. Il avait ensuite traversé le vestibule pour prendre son courrier. *Newsweek*, une facture, un relevé de compte bancaire, une épaisse enveloppe qui provenait de Oral Roberts à Tulsa, Oklahoma, et un bout de papier plié en quatre.

Dans son appartement, il jeta le courrier sur la table basse du salon, alla prendre une bière dans le réfrigérateur. Tout en buvant, il feuilleta rapidement le magazine... Bon, on avait découvert que la bière était cancérigène, comme le reste. De retour dans le salon, il s'assit à un bout du divan, près de la lampe bon marché achetée à une vente de charité. Prenant le courrier sur ses genoux, il commença par déplier le petit papier :

SURPRISE...
TÊTE DE LARD ! ! !

Plus tard, il repasserait la scène dans son esprit. Il avait d'abord cru que le type se trouvait juste derrière la fenêtre, tant la synchronisation fut parfaite. Il contemplait les mots tapés à la machine, se demandant...

La fenêtre et la lampe volèrent en éclats. Il se retrouva plongé dans l'obscurité. Instinctivement, il roula au bas du divan, se cogna le genou contre la table basse, essayant de dégager son .38 à canon court de sa ceinture. Il rampa vers la fenêtre, pendant que lui parvenait le bruit sourd des détonations, et que les balles allaient se ficher dans le mur. Six, sept coups... Ramassant ses jambes sous lui, il se releva, puis s'élança vers la porte, traversa le hall d'entrée, et fit irruption au-dehors. Les voitures, phares allumés, passaient avec un léger ronronnement. Il traversa Covington en courant, atteignit le terre-plein, reprit sa course, entendit un coup de klaxon, des pneus hurler, et parvint aux arbres. Dans l'obscurité, sans savoir que faire ni où se diriger, il ne percevait rien d'autre que le roulement des voitures dans l'allée.

De retour dans son appartement, il décrocha le téléphone, enfonça quelques touches. Puis, se ravisant, il reposa le combiné. Puisque Sandy était chez elle avec la Buick, quelle voiture conduisait donc Clement ? Etait-il possible que ce soit quelqu'un d'autre ? Non. Il s'assit dans la pénombre. Un rai de lumière filtrait par la porte entrouverte sur l'entrée.

Raymond décrocha de nouveau le récepteur. Cette fois, il composa un numéro.

— Mary Alice ? Je voudrais juste te poser une question, d'accord ? Non, je n'ai pas le temps de discuter de ça... Quelqu'un t'a appelée, tu as donné mon adresse. Est-ce que le type avait un accent du Sud ? Mais oui, je sais bien que tu ne savais pas qui c'était... Mary Alice, c'est justement pour ça que tu es censée ne pas donner... Non, tu n'as qu'à leur dire que tu ne la connais pas. Est-ce qu'une femme a appelé hier soir ?

« C'est pas vrai ! » songea-t-il en posant le combiné sur ses genoux (mais il l'entendait toujours !). Dans les morceaux de verre qui tenaient encore à la fenêtre se reflétaient les lumières de la rue. Portant de nouveau l'appareil à son oreille (Mary Alice reprenait sa respiration), il se dépêcha de dire :

— Mary Alice ? A la prochaine.

A la septième brigade, c'est Maureen qui lui répondit. Il lui demanda le numéro de téléphone de Carolyn Wilder, qu'il avait inscrit dans son carnet.

— Ne quitte pas... 645, annonça-t-elle au bout d'un moment.

— Non, ça c'est son bureau. Donne-moi son domicile. Et l'adresse.

Il écrivit ce que Maureen lui dictait au dos de l'enveloppe Oral Roberts.

— Pourquoi a-t-elle un bureau à Birmingham, puisqu'elle habite à l'est de la ville ? remarqua Maureen.

— Si tu veux, je lui demanderai. Mais si tu n'y vois pas d'inconvénient, j'ai d'abord quelques questions à lui poser.

Il composa le numéro personnel de Carolyn Wilder. Elle décrocha immédiatement.

— Vous attendiez mon coup de fil ? demanda Raymond.

— Qui est à l'appareil ?

— Je voudrais parler au Sauvage de l'Oklahoma, dit Raymond après s'être présenté, mais je ne sais pas où le trouver.

— Il n'est pas ici.

— Je ne m'attendais pas à ce qu'il y soit, répondit Raymond, surpris.

Il y eut un silence.

— Mais il était là il y a quelques minutes.

— Carolyn, ne bougez pas. Vous venez de mettre le pied dans un sale bourbier.

16

Carolyn Wilder habitait place Van Dyke, pas très loin de la rue Jefferson. Sa maison, construite en 1912, était une imitation des hôtels particuliers parisiens du début du siècle. Dans les années vingt à trente, elle avait été transformée en club clandestin, puis en restaurant (un établissement de petite taille, offrant un menu limité mais de qualité, dont les clients, pour la plupart résidents de Grosse-Pointe, étaient des habitués qui devaient réserver une des dix tables une semaine à l'avance). Carolyn Wilder l'avait achetée à titre de placement, avait engagé un décorateur, et, devant la splendeur passée ainsi restaurée, avait décidé d'en faire son domicile.

Debout dans l'entrée, Raymond contempla l'escalier en spirale recouvert d'une moquette rose, qui conduisait au premier étage.

— Ça me rappelle quelque chose, dit-il.

La jeune Noire ne répondit rien. Les bras croisés, raide dans sa blouse blanc cassé, elle le laissait regarder autour de lui. La lumière que diffusaient les lampes accrochées aux murs se reflétait dans de larges miroirs, donnant une couleur dorée au lustre imposant suspendu au-dessus d'eux.

— Vous aussi, vous ne m'êtes pas inconnue. Voyons... Vous n'êtes pas Angela Davis.

— Non.

— Ça y est, j'y suis... Marcie Coleman. Il y a deux ans environ.

— Oui, ça fera deux ans en janvier.

— Et c'est Mme Wilder qui vous a défendue.

— C'est exact.

— On vous avait proposé de plaider coupable pour homicide involontaire, je crois bien, et vous avez refusé. Vous avez soutenu un procès pour homicide sans préméditation.

— Oui, c'est ça.

— Eh bien, je vais vous dire une chose : je suis content que vous vous en soyez tirée.

— Merci.

— Ça fait combien de temps que Clement est parti ?

Silence.

— Mme Wilder vous attend en haut.

— J'étais justement en train de dire à Marcie que votre maison, en tout cas le rez-de-chaussée, me rappelait quelque chose.

La pièce dans laquelle il se trouvait à présent était tout à fait différente ; moderne, avec ses tables en Plexiglas, les formes et les couleurs étranges, sur les murs, et les spots, fixés au plafond, qui jetaient dans la pièce des taches lumineuses.

— C'est vous qui avez peint ces tableaux ?

— Quelques-uns, oui.

On se serait cru dans une galerie d'art mal éclairée. Raymond était persuadé que presque toutes les toiles étaient de Carolyn.

— Qu'est-ce qu'il représente, celui-là ?

— Ce que vous voulez.

— Vous étiez en colère lorsque vous l'avez fait ?

Carolyn lui lança un regard où se mêlaient méfiance et curiosité.

— Pourquoi ?

— Je ne sais pas, c'est le sentiment que j'ai.

— J'étais irritée, oui, quand je l'ai commencé.

Mi-ombre mi-lumière, la jeune femme était assise dans un grand fauteuil en bambou, garni de coussins de soie noire. A côté d'elle, un mur tapissé de livres. Elle ne l'avait pas invité à s'asseoir, ni ne lui avait offert à boire. Pourtant, un verre à liqueur empli d'un liquide transparent était posé à côté d'elle, et, à quelques mètres de lui, Raymond pouvait voir une table roulante chargée de diverses bouteilles d'alcool.

— Marcie s'est remariée ?

— Elle y pense.

— Un qui doit y penser, c'est le type ! Elle habite chez vous ?

— Oui, elle occupe les pièces du bas. Mais la plupart sont condamnées.

Raymond détacha son regard du tableau abstrait accroché au-dessus de la cheminée pour observer Carolyn. Vêtue d'un caftan marron, une sorte de longue tunique ample, elle avait les jambes croisées, les pieds dissimulés sous un petit tabouret assorti au fauteuil.

— Etes-vous différente lorsque vous êtes chez vous ?

— Je ne suis pas certaine de bien vous comprendre...

— Vous sortez souvent ?

— Quand j'en ai envie.

— J'ai une question délicate à vous poser.

— Eh bien, allez-y.

— Essayez-vous d'apparaître comme une femme mystérieuse ?

— C'est votre question ?

— Non.

Raymond s'apercevait qu'il n'avait aucune difficulté à parler à Carolyn, à lui dire ce qui lui traversait l'esprit sans se préoccuper de sa réaction. Plus même, il s'en moquait. Pourquoi devait-il rester debout, devant cette femme que l'ombre protégeait ? Une légère irritation le gagnait. Mais cela ne le gênait pas, parce qu'il était tout à fait capable de se contrôler. Il ne voulait pas lui donner tout de suite la raison de sa présence. Il frapperait le moment venu. Il avait envie de jouer un peu, d'abord. Elle l'intriguait. Ou représentait un défi pour lui. Peut-être les deux.

— Vous peignez toujours ? demanda-t-il.

— Non, pas vraiment. De temps en temps.

— Vous avez quitté les beaux-arts pour le droit... Sur un coup de tête ?

— Je suppose. Cela n'a pas été très difficile, en fait.

— Avant cela, vous avez divorcé. C'est ce qui a provoqué le coup de tête ? La façon dont s'est déroulé le divorce ?

Carolyn le dévisageait toujours ; dans son regard, il y avait plus qu'un simple intérêt.

— Vous me paraissez bien jeune pour être déjà lieutenant. Si vous étiez dans l'administration... Mais aux Homicides !

— Je suis plus vieux que vous.

Raymond s'approcha du fauteuil, du pied il déplaça légèrement le tabouret et y prit place. Bien qu'il ne lui fît pas directement face, leurs jambes se touchaient presque. Il eut l'impression qu'elle avait reculé imperceptiblement contre les coussins ; mais il se trompait peut-être. Il distinguait bien son visage à présent, ses yeux qui le fixaient et paraissaient attendre.

— J'ai presque un an de plus que vous. Vous voulez savoir de quel signe je suis ?

Comme il n'obtenait pas de réponse, il prit le verre posé à côté de Carolyn.

— Qu'est-ce que vous buvez ?

— De l'aquavit. Servez-vous. Mais ce n'est pas très frais.

Il but une gorgée, reposa le verre.

— Vous vous êtes dit que vous pouviez mieux faire que l'avocat chargé de votre divorce ? C'est ça ?

— Il a accepté les conditions imposées par la partie adverse, presque intégralement. Mon mari a obtenu la maison, plus une résidence secondaire à Harbor Springs, et l'avocat a demandé dix mille dollars d'honoraires, dont j'ai dû payer la moitié.

— Et il vous a traitée comme une gamine qui ne comprendrait rien, même s'il prenait la peine de lui expliquer.

Elle le regarda droit dans les yeux.

— Vous avez déjà éprouvé ce sentiment ?

— J'ai l'habitude des avocats. Je vais au tribunal environ deux fois par semaine.

— Il était tellement condescendant, obséquieux. Je ne parvenais pas à l'atteindre.

— Vous auriez pu le renvoyer.

— J'étais différente, à l'époque. En tout cas, cela m'a tout fait remettre en question : je me suis décidée à faire des études de droit, et me suis spécialisée dans les divorces et dans la défense des épouses pauvres, démunies et rejetées.

— Je n'arrive pas à vous imaginer là-dedans.

— Je n'y suis pas restée très longtemps. J'ai compris très vite que, si je voulais travailler avec des enfants, autant choisir de vrais enfants. J'ai même failli excuser le salaud qui m'avait représentée. Après avoir été témoin de toutes sortes de manifestations hystériques, il en avait sans doute déduit que toutes les femmes se ressemblaient, et traitait toutes ses clientes de la même manière. Bref, j'ai fini par aboutir au tribunal de première instance.

Elle était plus détendue à présent, ne cherchait plus à se donner une apparence.

— J'ai toujours aimé vous regarder faire, dit Raymond. Vous ne vous laissez jamais démonter, vous avez réponse à tout... Avec vous, le procureur doit toujours être sur ses gardes.

Il posa une main sur l'épais tissu de coton marron qui couvrait le genou de la jeune femme. Elle leva vers lui des yeux très calmes.

— Mais vous êtes en train de merder, Carolyn. Cela n'est pas dans vos habitudes, n'est-ce pas ?

— Quand je vous dis que Mansell était ici ce soir, cela signifie que je n'ai pas l'intention de discuter de sa possible participation à *quoi que ce soit* avant que vous n'ayez obtenu un permis d'amener, et qu'il soit officiellement en état d'arrestation.

— Non, cela signifie que vous me racontez des histoires. Clement n'était pas chez vous.

Raymond marqua une pause.

— Pour la bonne raison qu'il se trouvait devant ma fenêtre, à six heures trente très précises, et qu'il a essayé de me faire sauter la tête avec une carabine automatique.

Carolyn commençait à changer d'expression.

— Ou bien, poursuivit Raymond, si Clement se trouvait ici au même moment, c'est qu'il a le don d'ubiquité. Et j'abandonne l'enquête.

Carolyn étudia longuement le visage de son interlocuteur avant de prendre la parole.

— Vous l'avez vu ?

— Non.

— A votre avis, combien de personnes avez-vous envoyées en prison ? Donnez-moi un chiffre rond.

— Je ne sais pas. Cinq cents ?

— Ajoutez maintenant leurs amis et leurs parents.

— Ça fait beaucoup de monde.

— Détenez-vous l'arme dont ladite personne s'est servie ?

Raymond secoua la tête.

— Détenez-vous l'arme qui a tué Guy et la femme ?

Raymond esquissa un sourire.

— Pourquoi ?

— Vous savez très bien que vous n'attraperez jamais Mansell, à moins de fournir l'arme du crime. Et de prouver que c'est la sienne. Même si vous y parveniez, vous aurez encore bien d'autres difficultés. En ce qui concerne l'accusation que vous venez de formuler (en fait, vous soupçonnez seulement qu'il y a eu tentative), qu'avez-vous en main ?

Quelqu'un l'a-t-il reconnu ? Il fait déjà nuit, à six heures et demie. Où trouverez-vous un témoin ?

— Carolyn (décidément, il commençait à s'habituer à l'appeler par son prénom), Clément n'était pas ici.

— Ce que je vous ai dit au téléphone, dit Carolyn dont les yeux, plus que la voix, trahissaient une irritation naissante, ne peut en aucun cas constituer une preuve, même si vous avez enregistré la conversation. Vous savez cela, n'est-ce pas ?

— Vous avez menti.

— Bon sang !

Elle s'était redressée sur son fauteuil. Mais, une seconde plus tard, elle retrouvait son calme.

— Si ça m'est égal de reconnaître que j'ai fait une déclaration, sachez que, que ce soit dans le but de protéger mon client ou par crainte de l'interprétation que vous risquez d'en faire, je répéterai son contenu au mieux de mes capacités et de ma mémoire.

— Pourquoi avez-vous menti ?

— Mais enfin, vous êtes bouché ou quoi ? s'exclama-t-elle avec un emportement visible cette fois. Si vous cherchez à utiliser la moindre de mes paroles, je nierai tout.

Raymond se leva. S'il lui permettait de respirer profondément, peut-être relâcherait-elle un peu sa vigilance... Il s'approcha de la table roulante, y prit un verre à liqueur, le remplit d'aquavit en s'appliquant à ne pas dépasser une rangée de motifs ciselés dans le cristal.

— Je ne vous menace pas d'utiliser vos paroles contre vous au tribunal. Je ne vous menace pas, point final.

Après avoir bu une gorgée, il retourna s'asseoir sur le tabouret, tenant son verre avec précaution.

— Tout ce que j'essaye de faire..., reprit-il en posant de nouveau son regard sur Carolyn. Ecoutez, j'ai le très net sentiment que Clement vous a mortellement effrayée dans votre bureau, et qu'il tient quelque chose suspendu au-dessus de votre tête. Ce soir, il vous a téléphoné, et il a recommencé. Alors vous vous servez un ou deux verres comme celui-là, vous vous calmez, et vous redevenez l'avocate qui essaye de m'éblouir avec des paroles habiles. Mais tout cela ne changera pas Clement, n'est-ce pas ?

— Je saurai me débrouiller avec lui.

Il aurait voulu la prendre par le bras et la secouer ; qu'elle se réveille. Tous des connards, ces avocats et ces juges. Juste bons à s'abriter derrière quelques mots, dits d'un ton buté... On ne pouvait rien leur faire comprendre.

Heureusement, il avait un verre à la main. Il y trempa ses lèvres, puis le posa lentement sur la petite table près de celui de Carolyn. Bon, la partie serait serrée, mais il tenterait le coup quand même.

— Un homme nommé Champ a cru lui aussi qu'il se débrouillerait avec Clement. Il avait bien un Walther P.38, mais Clement l'a tué. Vous vous souvenez ? C'était il y a trois ans. Je vous parierais qu'au moment où il appelait Police-Secours, dans sa voiture, le juge Guy aussi pensait qu'il pouvait se débrouiller avec Clement. Il vous tient à la gorge, il vous menace, ou cherche à vous extorquer de l'argent, et vous le laissez faire !

Carolyn tendit la main vers son verre. Raymond sut aussitôt qu'elle se préparait à biaiser.

— Il m'a fait une confidence très intéressante... Il paraît que vous voulez le rencontrer quelque part pour avoir une petite explication... En tête à tête.

— Il vous a dit ça ?

— Comment l'aurais-je appris autrement ?

— Balivernes... Le flic ôte son insigne, et on règle l'affaire derrière la maison, d'homme à homme. Si vous croyez que c'est comme ça que ça se passe... Non, c'est une idée de Clement. Vous n'avez qu'à jeter un coup d'œil à la fenêtre de mon salon pour voir qu'il a déjà mis son projet à exécution.

— Vous voulez dire que... Il vous a « provoqué en duel », en quelque sorte.

— Oh, il ne m'a pas donné sa carte de visite, ni giflé, ni offert le choix des armes... Non, rien de tout ça. Mais on dirait qu'il a un faible pour les fusils automatiques. C'est de votre client que je parle. Celui avec qui vous comptez vous « débrouiller ».

— Qu'allez-vous faire ? demanda Carolyn d'une voix calme mais qui trahissait un regain d'intérêt.

— Je vais commencer par regarder plus souvent derrière moi ! Et puis, par fermer les volets avant d'allumer.

— Qu'en pensent les autorités ?

— La police, vous voulez dire ?

— Oui, votre commissariat, votre chef, enfin la personne dont vous dépendez.

— Je n'ai rien dit à personne. C'est tout frais.

— Avez-vous l'intention de le faire ?

— Je vais signaler les coups de feu, oui.

— Vous savez très bien de quoi je parle. Allez-vous leur raconter que Clement vous a lancé un défi ?

Raymond médita quelques instants.

— Je n'ai pas encore réfléchi à la question.

— Où est la différence, entre vous et moi, pour ce qui est de Clement Mansell ? Je vous soutiens que je peux le maîtriser ; c'est exactement ce que vous me dites, à mots couverts. Il s'agit d'une affaire privée.

— Il y a une différence, pourtant, et de taille : j'ai un revolver, moi.

— Je sais. C'est pour ça que je pense que l'idée vous séduit... Face à face, style *Il était une fois dans l'Ouest*, non, plutôt *Règlement de comptes à O.K. Corral.* Il suffit de revenir une centaine d'années en arrière et de parcourir un ou deux mille kilomètres vers l'ouest pour trouver l'analogie.

Raymond repensa à la journaliste du *News*.

— Je ne sais pas..., commença-t-il.

Puis il se tut. La scène du Far West qui avait surgi dans son esprit (une rue déserte, deux hommes marchant lentement l'un vers l'autre...) s'estompa pour faire place à un terrain vague, dans le quartier de la Sainte-Trinité... Une bande de gosses qui jouent aux cow-boys. Puis à l'école, maintenant, de nouveau ces mêmes gosses ; un triste après-midi d'automne (ils étaient en septième), la petite fille blonde, Carmel quelque chose... qui avait glissé un petit papier sur son pupitre... « Je t'aime », écrit en gros caractères appliqués. Les gosses partageaient des secrets. C'était loin, tout ça, et pourtant encore très net dans son esprit. A présent, il était assis dans une lumière tamisée, à côté de quelqu'un qui possédait un secret. Est-ce qu'elle avait des amis proches, la possibilité de se confier ?

— Qu'est-ce que vous ne savez pas ? demanda-t-elle.

— Je pensais à ce que vous venez de dire. C'est étrange. Quand j'ai parlé avec Clement, il voulait absolument me prouver que je n'étais pas plus pour la loi, par principe, que lui contre.

— Il a dit *ça* ?

— Oui, et qu'il s'agissait d'une affaire personnelle entre nous deux, qui n'avait rien à voir avec les autres.

— Vous étiez d'accord ?

— Je lui ai dit : « A une époque, il y a longtemps, nous

aurions peut-être pu régler tout ça entre nous. » Et il a répondu que, même pour se marrer, il était partant.

Carolyn le regardait d'un air grave.

— Vous n'avez pas raconté cela à vos collègues. Mais vous me l'avez dit à moi...

Elle s'était penchée en avant. Plus proche de lui maintenant, mais toujours aussi fermée, les bras serrés le long du corps, les mains croisées sur ses genoux.

— L'autre soir, dans mon bureau, vous avez demandé : « Puis-je vous aider ? », à deux reprises. Chaque fois, j'ai failli vous dire combien j'avais envie de...

Dans le faible éclairage, ses yeux marron aux pupilles dilatées paraissaient plus sombres. Comme des yeux que la main d'un peintre aurait noircis à l'encre, en ne laissant qu'un petit carré plus pâle, une étincelle fragile de lumière reflétée.

— Tout le monde a besoin de quelqu'un à qui confier ses secrets.

Raymond admirait la ligne délicate de son nez, le dessin de sa bouche. Il voyait, sur sa lèvre inférieure, l'endroit qu'il mordrait doucement.

— Je juge souvent trop vite, dit-elle. Je crois vous connaître, mais je me trompe. Vous dites « les beaux-arts », vous dites « il a le don d'ubiquité »...

— C'est faux, n'est-ce pas ?

Elle ne répondit pas.

— Je voudrais vous aider.

Elle le regardait toujours dans les yeux, comme si, tout au fond d'une eau profonde, elle cherchait le courage...

— Carolyn, je vous donne ma parole...

— Serrez-moi fort, je vous en prie, dit-elle.

17

Ils firent l'amour dans un lit aux draps blancs, surmonté d'un panneau en chêne sombre qui s'élevait jusqu'au plafond. Ils firent l'amour presque tout de suite, comme s'ils avaient tellement été frustrés l'un de l'autre qu'ils ne pouvaient pas attendre. Leurs mains apprenaient vite... Et lorsqu'il entra en elle, elle laissa échapper un gémissement de soulagement comme il n'en avait jamais entendu auparavant (même dans les lits aux oreillers fantaisie et aux draps à motifs, avec les filles qui débitaient des mots obscènes sur un ton tragique). Aucune ne s'était donnée avec autant de passion que Carolyn. Raymond se laissa guider par elle ; oubliant tout ce qui n'était pas le présent, il gardait pourtant conscience de lui-même. Il n'arrivait pas à croire que cela se passait vraiment, que c'était Carolyn Wilder qui bougeait ainsi, émettait ces sons, qui poussait ses hanches vers lui, se cambrait, la tête rejetée en arrière, lui offrant son visage sous la faible lumière. Un visage transformée qu'elle ne verrait jamais, qu'elle ne pourrait pas reconnaître. Raymond découvrait une Carolyn secrète, et l'espace d'un instant, dans ses yeux ouverts, il put lire que c'était avec son accord qu'une telle connaissance lui avait été donnée. Il eut envie de lui dire quelque chose. « Je sais qui tu es », murmura-t-il. Ses paroles se fondirent dans un bref silence ; Carolyn ferma les yeux. Et, de ce moment de certitude, il ne resta plus que l'image trouble d'un souvenir.

Dans l'obscurité, ils étaient silencieux. Raymond tenait Carolyn serrée contre lui. Une faible lumière venant de l'extérieur filtrait à travers les volets. La voix calme de la jeune femme chuchota, tout près de lui :

— Mon Dieu, c'était bien !

Il songea à ce qu'il pourrait répondre, mais ne dit rien. Elle comprendrait, à la façon dont il la tenait dans ses bras et la caressait doucement. Elle devinerait ce qu'il ressentait.

Enfin, elle dit d'une voix étouffée, mais qui résonnait dans le silence :

— L'autre soir, dans mon bureau, pendant que tu étais au téléphone... Clement m'a dit, au moment où il partait : « Quand est-ce que vous me donnez le pognon ? » Je l'ai regardé sans comprendre. Il a dit : « Les cent mille que vous m'avez promis si je liquidais le juge. » J'ai dit : « Quoi ? » Je n'en croyais pas mes oreilles. « Ne faites pas celle qui ne comprend rien pour éviter de me payer, a-t-il continué. J'ai la preuve que le juge vous tenait. » « Que voulez-vous dire ? » ai-je demandé. Mais il n'a rien ajouté. Il a seulement grommelé : « Je vous ferai signe », puis il est parti.

— Et, ce soir, il t'a appelée.

— Il a téléphoné ce matin aussi. Ce soir, il a appelé quelques minutes à peine avant toi : « Si quelqu'un vous le demande, je suis chez vous depuis une heure », a-t-il dit. J'ai raccroché sans répondre. Il a rappelé moins d'une minute plus tard : « Ecoutez-moi bien, a-t-il dit, si je plonge à cause de cette histoire, vous plongez aussi. » Cette fois, j'ai répondu qu'il n'avait qu'à chercher un autre avocat, parce que je ne le représentais plus. « Oh si ! » a-t-il ricané. Puis il a ajouté que, s'il y avait la moindre chance qu'il soit condamné, il signerait une déclaration comme quoi je l'avais payé pour tuer Guy et qu'il détenait des preuves suffisantes pour qu'un tel mobile apparaisse sinon fondé, du moins crédible.

— Comment peut-il faire ça ?

— C'est ça qui est intéressant, le fait qu'il pense pouvoir m'impliquer.

Elle scruta le visage de Raymond, dans l'obscurité.

— Cela reste entre nous, n'est-ce pas ? De toute façon, il n'y a rien dans mes propos que tu puisses utiliser plus tard.

Raymond restait silencieux. Un étrange sentiment l'envahissait... Alors que leurs cuisses nues se touchaient, et que le sein de Carolyn reposait contre son bras, il sentait que l'avocate était de retour et que la femme qui s'était laissée aller se ressaisissait. En était-elle seulement consciente ?

Carolyn continuait :

— Après tout, si je déposais une plainte contre lui, pour tentative d'extorsion, ce serait ma parole contre la sienne. Cela pèserait lourd, mais pas assez pour le faire condamner. Il prendrait son air d'idiot du village, dirait que je l'ai mal compris. Il est très doué à ce petit jeu-là.

— Attends... Il veut cent mille dollars, sinon il jurera que tu l'as payé pour descendre Guy.

— Vu son opportunisme, rien d'étonnant à ce qu'il ait d'abord pensé à se faire de l'argent grâce au meurtre de Guy. Qu'il l'ait tué ou non.

« Du calme, se dit Raymond, ne t'impatiente pas »... Pourtant, comment pouvait-il ignorer cette intuition qui lui contractait le ventre ?

— Mais il devient suspect, maintenant, et me demande de faire tout mon possible pour lui éviter la prison (et cela, je suppose, gratis), autrement il m'entraîne avec lui.

— Quand t'a-t-il raconté tout cela ?

— Ce matin, il m'a appelée à mon bureau.

— Qu'a-t-il dit exactement ?

— Qu'il était au courant, et qu'il pouvait le prouver, de certains pots-de-vin existant entre Guy et moi ; que j'ai donné de l'argent au juge en échange de quelques acquittements ou réductions de peine. Mais que, puisque j'ai témoigné contre le juge Guy devant le Conseil supérieur de la magistrature, et donc aidé à son renvoi du tribunal, je fais partie de ceux que Guy a menacés, lorsqu'il a promis d'écrire un bouquin « où apparaîtraient les noms de personnes aux mains sales et aux doigts souillés ». Ce sont ses propres paroles. Clement dira donc que j'ai fait supprimer Guy pour l'empêcher d'écrire son livre.

— Clement a pensé à tout...

— Tout le monde le sous-estime. C'est comme ça qu'il arrive toujours à s'en tirer, et c'est ce qui en fait quelqu'un de... fascinant.

Elle dégagea son bras.

— Tu veux boire quelque chose ?

Elle se leva, nue. Lorsqu'elle revint, portant deux verres d'aquavit, elle avait enfilé le caftan marron. Elle alluma la lampe de chevet, puis s'assit dans le lit, adossée au panneau de bois, et sirota son alcool, sans se troubler lorsque Raymond posa sa main sur sa cuisse. Il lui avait dit : « Je sais qui tu es », et elle n'avait rien répondu. Qu'éprouvait-il pour elle, outre le fait qu'il aimait ses yeux, son nez, son corps ? S'agissait-il d'une émotion sincère, ou bien avait-il seulement voulu chevaucher et dompter l'avocate digne et distinguée ? Ou n'était-ce pas l'inverse, lui, Raymond Cruz, qui était maintenant pris à son charme ?

— Est-ce simplement une idée de Clement, ou a-t-il vraiment des preuves ?

Tenant son verre à deux mains, Carolyn tourna la tête vers lui.

— Tu me demandes si je suis réellement impliquée, et s'il existe des preuves valides ?

— Je te demande avec quoi il pourrait te menacer.

Carolyn réfléchit.

— Eh bien... Imaginons par exemple que l'on trouve mon nom dans le carnet d'adresses de Guy... Mon nom, mon numéro de téléphone et des chiffres, que l'on pourrait interpréter comme étant des sommes d'argent ou, avec un peu d'imagination, une liste des paiements que j'aurais versés à Guy... Si l'on cherchait un suspect, capable d'avoir comploté le meurtre de Guy, ne pourrait-on pas voir là une pièce à conviction ?

Raymond secoua la tête.

— Pas en soi, non.. . Tu as vu le carnet ?

— Quel carnet ?

— Celui que, je suppose, Clement a piqué au juge.

Carolyn le regarda sans ciller. Imperturbable contre le bois du lit.

— J'ai dit *si* l'on trouvait mon nom dans son carnet. Et non pas que Clement l'avait pris, n'est-ce pas ?

— Nous avons fait du chemin, mais j'ai l'impression que nous sommes revenus à notre point de départ. Il n'y a pas si longtemps, tu étais morte de peur.

— J'ai toujours peur. Suffisamment en tout cas pour comprendre que je dois être très prudente avec Clement. Mais ça ne veut pas dire que je n'arriverai pas à le maîtriser.

— Tu n'as pas à le « maîtriser ». Tout ce que tu as à faire, c'est de déclarer que Clement a admis, devant toi, avoir tué le juge.

— Je te le répète, le fait qu'il essaye de tirer parti du meurtre ne signifie pas qu'il soit coupable.

— Mais il *est* coupable !

Dans le mouvement brusque qu'il avait fait en se redressant sur l'oreiller, pour se mettre à la hauteur de Carolyn, Raymond renversa un peu d'aquavit. Carolyn le regarda tranquillement essuyer la tache.

— Ce n'est rien. Les draps vont être changés.

Elle était appuyée nonchalamment contre le bois sombre, tandis que Raymond se tenait tout raide, la poitrine émergeant du drap.

— Ecoute, dit-elle, nous nous sommes confiés l'un à l'autre, c'est un besoin que l'on ressent parfois. Tu as dit toi-même que tout le monde cherchait quelqu'un à qui raconter ses secrets. Je t'ai fait part de choses que je ne livrerai jamais à mes associés, et tu m'as laissé entendre que tu ne répéteras pas non plus tes paroles à tes collègues. Tu mènes ton petit jeu avec Clement, et moi le mien. Nous reconnaissons tous les deux que c'est un cas intéressant, un personnage assez fascinant. Sinon, nous ne serions ni l'un ni l'autre concernés comme nous le sommes. N'est-ce pas vrai ?

— Tu lui as dit de se chercher un autre avocat.

— Il ne le fera pas. Il a besoin de moi, et en plus, je lui plais. Mais il finira bien par s'apercevoir, une fois que cette histoire de chantage et d'extorsion lui sera sortie de la tête, que je ne travaille pas gratuitement, et que s'il n'est pas prêt à payer, alors là, il devra vraiment aller trouver quelqu'un d'autre.

Raymond crut un instant qu'elle souriait. Mais non, ce n'était qu'une expression affable, rien de plus.

— Nous pouvons bien jouer à ce qui nous plaît, tant que cela reste dans les limites du travail pour lequel nous sommes payés. Et, de même que tu ne peux pas espérer que je te fournisse des informations sur mon client, je ne peux pas attendre de toi que tu le descendes sans qu'il t'ait provoqué. Tu es d'accord avec ça ?

— C'est bien ce que je pensais, nous voilà revenus à notre point de départ.

— Pourquoi ? A quoi espérais-tu donc arriver ?

Raymond réfléchit.

— Je ne sais pas.

Il sortit du lit. Debout, nu, il regarda Carolyn.

— A part ça, comment t'as trouvé la baise ?

Carolyn le détailla sans se troubler, de bas en haut.

— Disons que c'était à peu près ce à quoi je m'attendais.

18

Mary Alice avait dit : « Tu te fiches des autres ; tu ne penses qu'à toi. »

Bob Herzog avait dit : « Vous savez ce que j'admire chez vous ? Votre détachement. Vous ne vous laissez jamais affecter par rien, vous observez, vous jugez, et vous acceptez ce que vous trouvez. »

Norb Bryl avait dit : « Tu dépenses deux cent dix dollars pour un costume *bleu* ? »

Wendell Robinson avait dit : « Je dis pas ça pour faire de la lèche, mais, la plupart du temps, je pense pas à toi comme à un Blanc. »

Jerry Hunter avait dit, plus d'une fois : « Qu'est-ce que t' as ? Pourquoi tu dis rien ? »

La journaliste du *News* avait dit : « A mon avis, vous avez peur des femmes. Je crois que c'est là le nœud du problème. »

Et cette femme, Carolyn Wilder, avait dit : « C'était à peu près ce à quoi je m'attendais. »

Parce qu'il n'avait pas su quoi répondre, il avait remis son costume bleu, et était parti de chez elle. Tout au long de la route, en rentrant chez lui, il avait cherché une réplique qui l'aurait laissée bouche ouverte contre le panneau de bois. Mais rien ne venait. Il se coucha. Il se réveilla pendant la nuit, pensant encore à ce qu'il aurait pu répondre. Mais il ne trouvait rien d'assez percutant. Finalement, il se dit : « Mais qu'est-ce que tu fabriques ? Quelle différence cela peut bien faire, ce qu'elle pense ? » Lentement, peu à peu, il essayait d'éliminer toute émotion.

Ce n'est qu'au matin, lorsqu'il revit les morceaux de verre brisés dans son salon, qu'il réalisa enfin ce qu'il aurait dû lui dire. Et ce qui l'étonna le plus, c'est que sa réponse n'avait rien à voir avec lui, avec ses sentiments personnels.

Il aurait dû répondre, tout simplement (sans chercher à être le plus malin, ni à avoir le dernier mot), que si elle continuait son petit jeu avec Clement, il viendrait un jour où Clement la tuerait.

Tout était clair dans son esprit, à présent. Pas un instant il n'avait cru qu'elle pouvait être impliquée dans des tractations louches avec Guy. Si elle ne l'avait pas franchement nié, c'était parce qu'elle n'en ressentait pas le besoin, ne se sentait pas menacée dans sa dignité. Carolyn Wilder, de tous les avocats du tribunal de première instance de Detroit, était bien la dernière à pouvoir participer à des marchés de ce genre avec un juge. Et surtout pas avec Guy.

Il extirpa des bouts de plomb aplatis fichés dans le mur du salon. Sur un simple regard, il vit qu'ils ne provenaient pas d'un P.38. Lorsque la concierge entra (elle s'approcha de la fenêtre comme si elle craignait qu'un nouveau projectile ne l'atteigne), il lui raconta qu'il s'agissait sans doute de gamins qui avaient tiré avec un fusil à air comprimé depuis le parc. Bien qu'elle parût avoir des doutes, elle ne posa pas de questions. Elle demanda seulement s'il avait signalé l'incident à la police. « La police, c'est moi », lui rappela Raymond. Elle se retira après lui avoir déclaré que le remplacement de la fenêtre serait à ses frais.

Ce matin-là, assis à son bureau, vêtu d'une veste de tweed gris qu'il n'avait pas portée depuis le printemps dernier (et, après le régime et l'entraînement qu'il avait suivis, il se sentait flotter dedans), Raymond relisait le rapport de la Magistrature à propos de l'enquête sur le juge Guy. Le nom de Carolyn Wilder y apparaissait à plusieurs reprises. Il ne raconta pas les coups de feu à la brigade (qu'il s'agisse d'un attentat ou d'un défi), moins parce qu'il en faisait une affaire personnelle que parce qu'il n'avait pas envie d'en discuter toute la matinée. Il demeura silencieux, plongé dans ses pensées. Les autres le laissèrent tranquille. Ils téléphonaient, s'occupaient d'autres affaires, regardaient des photos pornos qu'ils avaient ramassées lors de la recherche de pièces à conviction effectuée au domicile d'une victime. Ils poussaient des exclamations, sifflaient. Wendell faisait semblant d'être écœuré. Norb Bryl dit à Hunter qui observait attentivement l'une des photos : « Ça te plaît, tous ces trucs cochons, hein ? » Hunter rétorqua : « Ça va pas, non ? Tu me prends pour quoi, un petit pervers ? » Et Bryl répondit : « Non, un qui mesure dans les un mètre quatre-vingts, avec une moustache blonde et une chemise à rayures vertes... » A midi, Raymond annonça qu'il se passerait de déjeuner.

Lorsqu'ils furent tous partis, il ôta sa veste, déverrouilla le placard (à côté de la batterie de recharge) et suspendit son .38 à canon court, celui dont la crosse était entourée d'élastiques, à un crochet. Il le troqua contre un holster d'épaule qui contenait un colt automatique 9 mm bleu acier, à la crosse en bois, enfila la bretelle, ajusta l'arme de manière à ce qu'elle soit bien en place sous son bras gauche. Puis il remit sa veste, qui était maintenant tout à fait à sa taille.

19

Sandy s'éveilla couchée sur le côté. Clement dormait blotti tout près d'elle. Elle sentit quelque chose de dur se presser contre ses fesses nues.

— T' as quelque chose pour moi, là-derrière, ou bien t' as seulement envie de pisser ? dit-elle.

Clement ne répondit pas. Elle ne l'avait pas entendu rentrer pendant la nuit. Lorsqu'elle se retourna sur le dos pour regarder le Sauvage de l'Oklahoma, il lui fit la grimace, sans ouvrir les yeux.

— Bas les pattes, grogna-t-il.

— Pardon ! Je t'ai touché ?... Tu t'es bien amusé, hier soir ?

Pas de réponse.

— Tu crois peut-être que je suis restée à la maison, hein ? Eh ben non, figure-toi, je suis sortie, moi aussi.

Le visage de petit garçon de Clement était rouge et gonflé. Son haleine sentait le whisky.

— Ben alors, il est complètement vanné, le petit sauvage ? Hé, gros tas, où est-ce que t'étais ?

Clement ouvrit à demi les yeux. Il lui fallut quelques secondes pour reconnaître les lieux... Le soleil de midi entrait par la fenêtre. Les boucles dorées de Sandy s'étalaient sur l'oreiller.

— Je suis allé quelque part, à Wood'ard, marmonna-t-il. Me suis tellement marré, on a dû me ramener à la maison.

La bouche à demi écrasée contre l'oreiller, il parlait comme s'il avait une rage de dents. Ou qu'il venait de manger des piments rouges.

— Quelque part où ? demanda Sandy.
Clement passa une langue pâteuse sur ses lèvres.
— Tu peux le ramener, ton Albanais, maintenant. Je suis prêt. Je rappliquerai quand vous serez assis tous les deux, tu nous présenteras... Et on verra si on peut se mettre quelque chose sous la dent.
— Mais *où* donc ?
— Au bar, *Chez l'oncle Deano.*
— Mais, bordel ! Il est albanais. Il n'aime pas les endroits folks. Y'a que le disco qui lui plaît.
Clement la regarda d'un air abruti. Mais qu'est-ce qu'elle racontait...
— P'tit chou, j'ai pas l'intention de danser avec ce mariole. Je veux seulement lui parler.
— D'accord, et qu'est-ce qu'on fait s'il veut pas y aller ?
— T'inquiète. Tu sais pas que je m'occupe de tout, p'tit chou ? dit-il en glissant sa main entre les cuisses minces de Sandy. Pas vrai ?
— Arrête !
— Mais c'est agréable, hein ? Hein ? Et là, ça fait pas du bien ?
Sandy roula sur le côté. Elle commençait à se frotter contre lui, lorsque, soudain, elle s'arrêta.
— Je veux pas tant que tu te seras pas lavé les dents.
— On n'a qu'à pas s'embrasser... Allez, viens, quoi !

Clement passa tout le reste de la journée à traînasser. Vautré sur le lit, le regard tourné vers la fenêtre, il réfléchissait. Assise au bureau, Sandy commença une lettre pour sa mère qui demeurait à Franch Lick, Indiana. « Chère maman. Le temps est plutôt doux pour un mois d'octobre. Ça me gêne pas du tout d'ailleurs, vu que je déteste le froid. Brrr. » Elle n'alla pas plus loin. Elle resta là, à tourner son stylo à bille entre ses dents. Clement s'énerva.
— Arrête, bordel !
Elle s'installa devant la télévision.
— Hé, ils donnent *Nashville on the road*... Ça alors, on t'a jamais dit que tu ressemblais à Marty Robbins ? Vous pourriez être des jumeaux, tous les deux.
Clement ne répondit pas. Quelques minutes plus tard, Sandy se tourna de nouveau vers lui.
— Ecoute-moi ça, c'est pas logique. Marty Fargo demande à

Donna Fargo si elle aimerait chanter une autre chanson. Et elle, non mais tu l'entends, qui répond : « Je peux pas laisser passer une *offre* pareille. » Quelle offre ? Marty ne lui a rien offert !

Clement la fixa d'un œil noir. Sandy se leva, s'habilla, et, sans un mot, quitta l'appartement.

Clement réfléchissait : comment pouvait-il arracher cent mille dollars à Carolyn Wilder... Il avait dit : « C'est pas compliqué. Ou bien vous me filez le pognon, ou bien j'envoie ce carnet aux flics. Avec votre numéro de téléphone écrit de la main du juge, les initiales de votre boîte, Wilder, Sultan et Fine... J'arrache quelques pages, comme ça, en face de votre numéro, on a tout le fric, la liste des paiements, les dates, et les flèches pointées dans votre direction. Hein ? Qu'est-ce que vous en dites ? » Elle avait raccroché. C'était bien ce qu'il pensait, elle avait pas froid aux yeux, cette gonzesse. Pas comme les autres chiffes molles, qui tremblaient pour un rien. Elle avait écouté, puis avait raccroché.

Sandy revint deux heures plus tard. Elle lui jeta un regard de biais en allumant la télévision. Il ne daigna même pas se retourner. Il continuait à fixer la fenêtre.

Il réfléchit, réfléchit. Enfin (le soleil commençait déjà à descendre, les tours de verre du centre commercial *Renaissance* prenaient une couleur argentée), il se dit : « Mais Bon Dieu, tu penses trop ! C'est ça, ton problème, connard. »

Quel était le moyen le plus rapide, et le plus sûr, d'obtenir de l'argent de quelqu'un ? Lui foutre un revolver dans la bouche et relever le chien. Ton fric ou ta vie, l'ami. Merde quoi, c'était comme ça qu'on faisait depuis toujours. Tu prends, et tu mets les voiles. Si Carolyn voulait pas marcher dans la combine du juge (de toute manière, c'était une idée de con), y'avait qu'à la flanquer par terre, se mettre dessus à califourchon, et lui faire zyeuter le bout d'un Walther. Sauf que, merde, il l'avait balancé.

Tant pis, un autre flingue, alors.

D'ailleurs, ça lui rappela qu'il avait des courses à faire avant de rencontrer l'Albanais de Sandy... Il pensa à Marcus Sweeton. Non, il valait mieux pas trop s'approcher de M. Sweety pour le moment. C'était un solide gaillard, pour sûr, mais il était embringué dans des histoires de dope depuis quelque temps, et Clement ne savait plus trop à quoi s'en tenir... Est-ce qu'on pouvait toujours compter sur Sweety ? Les mecs réglo étaient tellement rares, de nos jours ! Il tourna la tête vers Sandy, qui regardait Mike Douglas, roulée en boule sur le divan. Brave petite...

— Bouge pas, dit-il, je vais nous préparer à dîner.

Dans le coin-salle-à-manger, ils s'attablèrent devant des steaks pannés « à la rustique » que Clement servit accompagnés de farce toute prête et de bière Miller High Life. Au dehors, la ville s'assombrissait, et commençait à scintiller. C'était l'heure de la journée que Clement préférait.

— Allez, je t'écoute maintenant. Parle-moi des Albanais.

— Bon, tu vois où est l'Italie ? Avec la pointe en bas... Eh bien, l'Albanie se trouve de l'autre côté.

— Ah ouais, dit Clement d'un air intéressé, la bouche pleine de farce.

— Les Albanais qui habitent ici, continua Sandy, attends, tu vas te marrer, sont en gros les durs à cuire, ceux qui n'ont pas voulu vivre sous le régime des Turcs, ou des communistes, ou je sais plus qui encore. Tu comprends, c'est pour ça qu'ils sont venus ici.

— Qu'est-ce qu'ils ont de spécialement dur ?

— Eh bien, c'est Skender qui m'a expliqué ça, par exemple si tu fais du mal à son frère, c'est comme si tu lui avais fait à lui. Ils sont comme les doigts de la main, enfin ceux qui sont de la même famille. Imagine qu'un mari batte sa femme. Eh ben, elle retourne chez son père, lui dit tout ; le père va trouver son gendre, et il lui tire dessus.

— Sans blague ?

— Mais, après, le frère du gendre tire sur le père, et le fils du père, le frère de la femme du type, tire sur le frère du mari. Et parfois, il faut qu'ils fassent venir quelqu'un de Yougoslavie (c'est de là qu'y viennent, la plupart des durs), pour régler leurs histoires, parce que ça devient tellement embrouillé que plus personne n'y comprend rien et que tout le monde se tire dessus.

— Hé bé, on se croirait pas à Detroit, mais dans un bled paumé au fin fond du Tennessee.

— Y' en a pas mal qui habitent à Hamtramck, avec les Polonais. Les autres vivent dans les banlieues, à Farmington Hills, un peu partout. Il y a plus d'Albanais ici que n'importe où ailleurs aux Etats-Unis, mais ils ont gardé leurs vieilles habitudes. Skender dit que ça s'appelle *besa*, un peu comme la loi du Far West, quoi.

— Ça s'appelle *comment* ?

— *Besa.* Ça veut dire plus ou moins une promesse, comme quand on donne sa parole, quoi. Parfois, Skender en parle comme de la « Coutume ».

— Merde alors, comment ça se fait que j'ai jamais entendu causer d'eux ?

— Skender dit : « Si quelqu'un tue mon frère, et que je ne fais rien, alors je ne suis rien. Je ne pourrai plus jamais... » — Comment il a dit déjà ? « ... regarder ma famille en face. »

— Il parle vraiment comme ça ?

— Ecoute, ils plaisantent pas. Quand ils s'embarquent dans une de ces vendettas sanglantes, il faut qu'ils se planquent pour rester en vie. C'est pour ça que Skender a sa pièce secrète. Il se l'est construite lui-même, il y a quatre ans.

— Il t'a baratinée, dit Clement en plongeant sa fourchette dans son assiette.

— Non, c'est vrai, dit Sandy. J'ai revu la pièce hier. Elle est cachée dans la cave, derrière un mur en briques. Y' a même pas de porte.

— Ah ouais, et comment on entre alors ?

— Il y a un bouton juste au-dessus de la chaudière. Quand on le pousse, le mur, enfin une partie du mur, s'ouvre très doucement, avec un bruit de moteur. C'est là qu'est le coffre-fort. Et les quarante mille dollars.

— Il te les a montrés ?

— Il m'a dit qu'ils étaient dedans.

— Hmm... Mais si c'est une pièce secrète, pourquoi est-ce qu'il t'a laissée entrer ?

Sandy se leva et partit dans la cuisine. Elle revint avec son sac à main.

— Depuis ce matin, j'essaie de te dire que je suis sortie avec lui, hier. Mais monsieur *pensait.* Et moi, hein, moi je compte pour du beurre... Eh ben vise un peu ça, mon pote.

Elle tira de son sac une petite boîte recouverte de feutre bleu, l'ouvrit et la posa à côté du verre de Clement. A l'endroit où la lumière du plafonnier ferait scintiller le diamant.

— Skender veut m'épouser, annonça-t-elle.

Clement termina ce qu'il était en train de mâcher, avala, but une gorgée de bière. Puis, prenant la bague entre les doigts, il se cala dans sa chaise.

— Qu'est-ce que ça vaut ?

— Presque quatre mille dollars.
— Foutaises.
— Depuis quand tu t'y connais en diamants ? Je l'ai fait estimer cet après-midi (pendant que tu pensais) au centre *Renaissance.* Elle vaut trois mille sept cent cinquante dollars. Plus la taxe.
— Il t'a demandée en *mariage* ? Qu'est-ce que t'as répondu ?
— J'ai dit qu'il fallait que j'en parle à mon frère.

Avant de quitter l'appartement, Clement fouilla dans le placard de Del Weems. Il en sortit une veste de sport jaune, rose et vert, qu'il emporta avec lui. Dans le hall de l'immeuble, il la donna au portier, Thomas Edison, assis derrière son bureau.
— Tiens, Tom, c'est pour toi. Au cas où on se reverrait pas.
Le portier reconnut la veste : il l'avait vue sur le dos de Del Weems, l'été précédent.
— Vous nous quittez ?
— Ouais. Il est temps d'aller voir ailleurs. J'ai l'impression d'être dans un aquarium, ici, avec tous ces gens qui surveillent mes moindres gestes.
— Ouais... C'est que... Je ne sais pas si je peux accepter cette veste.
— Allez, ne fais pas le timide. C'est pour te remercier de m'avoir prêté ta bagnole. C'est vrai, quoi, merde. T'as été sympa. Et je vais te dire un truc : je connais des Blancs, qui sont des amis à moi depuis des années, que je pourrais pas compter sur eux comme sur toi. Tu verras, si les yeux des petites négresses vont s'allumer quand elles te verront avec ça.
Il était près de huit heures. Thomas Edison terminait son service. Le gardien de nuit se trouvait avec lui dans la loge. Les deux hommes suivirent des yeux Clement qui s'engouffrait dans un ascenseur pour descendre au garage. Tandis que la porte se refermait, Thomas Edison se tourna vers le gardien de nuit.
— Qu'est-ce qu'il m'a dit ?
— Qu'est-ce que tu crois ? T' as agi en vrai Blanc, mon garçon.
Thomas Edison sortit de sa poche la carte que l'inspecteur noir (Wendell Robinson, il s'appelait) lui avait donnée. Il décrocha le téléphone, et composa le numéro de la septième brigade, section des Homicides.

— Cette espèce de sale bouseux que vous cherchez, il a une Mercury Montego année 76 bleu clair, une vieille merde. Quoi ? Hé là, attendez une minute... Une question à la fois, mon gars. Que je voie si je peux vous donner la réponse. Hein, ça ira, comme ça ?

20

En sortant du bar *Chez Sweety,* Raymond se dirigea vers la maison voisine, le numéro 2925. Une faible lumière éclairait les fenêtres de l'appartement du rez-de-chaussée, mais le porche était sombre. Il sonna. La porte s'ouvrit.

— Comment ça va ? demanda le Noir, vêtu d'une robe de chambre en velours. Entrez, fit-il en s'écartant.

« Est-ce qu'il me prend pour quelqu'un d'autre ? » se dit Raymond. La maison sentait l'encens. Les meubles étaient recouverts de housses en plastique transparent. Une musique qu'il ne reconnut pas lui parvenait d'une autre pièce. Dans un cadre illuminé, il aperçut la photo d'un jeune homme barbu aux longs cheveux brun clair séparés par une raie médiane. Raymond se retourna vers M. Sweety. Debout devant la porte refermée, l'homme se frottait le visage d'un air songeur. A sa main brillaient des bagues en or.

— Vous ne bossez pas ce soir ? demanda Raymond.

— Si, mais c'est pas encore l'heure.

Les deux hommes se faisaient face. Tous deux de la même taille. Mais M. Sweety était plus massif. En regardant le velours sombre de sa robe de chambre bordée de beige et de rouge, Raymond pensa à des doubles rideaux.

— Bon, on va pas se baratiner, dit M. Sweety. Vous mâchez p'têt du chewing-gum de temps en temps, mais ça m'étonnerait que vous fumiez de ma camelote.

Raymond exhiba sa carte de police. Au même moment, le signal de son bip se déclencha.

— Ça me plaît, ça, dit M. Sweety. Ça en jette. Si vous voulez téléphoner, c'est là-bas, dans le couloir.

Lorsque Raymond fut de retour dans la pièce, M. Sweety

était assis à un bout du divan. Les jambes croisées, il fumait une cigarette.

— En fait, j'ai su tout de suite que vous étiez pas de la brigade des Stup. Si vous voyiez leurs déguisements, quand ils s'amènent ici... Chemise ouverte jusque-là, boucles d'oreilles, y'en a même !

Raymond prit place en face de lui. De nouveau, la photo illuminée attira son regard.

— Quel genre de voiture vous avez ?

— Une Eldorado. Vous voulez savoir l'immatriculation ? S.W.E.E.T.Y.

— Est-ce que vous possédez une Montego de 76 ?

— Non, j'en ai jamais eu.

— Vous connaissez quelqu'un qui en a une ?

— Non, là tout de suite, ça ne me vient pas...

— Comment va votre copain Clement Mansell ?

— Oh merde, lâcha M. Sweety d'un ton las. J'en étais sûr.

— Qu'est-ce qu'il y a ?

— Ben, j'avais comme le pressentiment qu'on en viendrait à lui. J'ai pas vu le Sauvage depuis un an, je crois bien. Il court trop vite, ce mec-là. Moi, j' me fais mon trou, maintenant. J'en ai assez de ces folies.

— Vous avez vu sa petite amie, l'autre jour.

— Oh ouais, Sandy est venue. Elle aime bien sa petite herbe, Sandy. Elle passe de temps en temps.

— Elle vous a dit pourquoi il avait rectifié le juge ?

— Elle m'a rien dit, la môme. Elle a fait qu'entrer et sortir.

— On peut vous faire fermer le bar...

— Ça, j' le savais déjà.

— Ou vous envoyer passer un an en taule. Je me suis dit que vous voudriez peut-être faire un petit marché.

— Avec quoi ? Tout ce que j' vous dis, c'est que j'ai rien à donner.

— La môme est entrée ici, mais elle est pas repartie tout de suite. Elle est restée un peu, hein ?

— Juste le temps de goûter la marchandise. Elles sont comme ça, les gonzesses, quand elles font des achats.

Raymond hésita un instant. Puis se décida à tenter le coup.

— Comment ça se fait qu'elle veuille cacher à Clement qu'elle était ici ?

Sweety ne s'attendait pas à cette question. La surprise qui apparut dans ses yeux, bien que vite dissimulée, n'avait pas échappé à Raymond.

— On dirait qu'il y a quelque chose qui vous tracasse.
— Non, y'a rien.
— Qu'est-ce que ça pourrait bien faire à Clement, que Sandy soit venue ici ?
— Qu'est-ce que j'en sais, moi ? J'ai aucune idée de ce qu'il magouille en ce moment.
Raymond regarda la photo du jeune Viking, puis reporta son attention sur M. Sweety.
— Pourquoi a-t-il tué le juge, à votre avis ?
— Je suis au courant de rien.
— Ouais, il l'a tué. Mais il n'y avait personne avec lui. Vous y comprenez quelque chose, vous ?
— Mais enfin, j' sais rien, moi ! J' veux rien savoir.
— Quelle raison aurait-il eue de faire ça ?
M. Sweety soupira.
— Vous avez qu'à lui demander.
— C'est ce que j'ai fait.
— Ah ouais ? Et qu'est-ce qu'il a dit ?
— Il a dit : « Quelle différence ça fait ? » Ce sont ses propres paroles.« Quelle différence ça fait ? »
— S'il vous a sorti ça, pourquoi vous venez me voir ?
— Parce que vous aimeriez bien m'aider... Vous débarrasser du Sauvage une bonne fois pour toutes. Mais vous avez peur que Clement ne l'apprenne si vous mouchardez.
M. Sweety était silencieux. Après quelques secondes, Raymond se leva.
— Je peux passer un autre coup de fil ?
Dans le couloir, le rythme entraînant de la musique lui parvenait plus distinctement. Ça venait d'une des chambres. Dans la faible lumière, Raymond déchiffra un numéro de téléphone inscrit au dos d'une carte de visite.
— Lafayette Est, répondit une voix d'homme.
— Passez-moi le sergent Robinson.
Lorsqu'il entendit la voix de Wendell, il demanda :
— Où est-ce qu'on en est ?
— On a lancé un avis de recherche, pour la Montego. Les gars ont relevé le numéro, ils vont interroger le fichier, et mettre la Surveillance sur le coup. Mais tu vois le problème ?
— Lequel ? Je ne vois *que* des problèmes pour l'instant.
— Si on repère Clement en dehors de notre circonscription, l'affaire reviendra à ceux de la localité en question. Disons qu'on le pince pour conduite sans permis. On n'a pas le droit de fouiller la voiture pour saisir une arme. Sauf si elle est bien

en évidence. Supposons qu'on procède quand même à une inspection ; Clement ne relèvera plus de notre juridiction et en plus, tout ce qu'on obtiendra, ce sera un non-lieu du tribunal pour fouille irrégulière. Tu piges ?

— Peu importe la juridiction, pour l'instant. La seule chose qui compte, c'est que la pièce à conviction soit recevable. Si on trouve un flingue sur Clement, d'abord il faut que ce soit le bon, et ensuite, il faut pouvoir prouver au tribunal que la fouille est légale. Le meilleur moyen, c'est de l'arrêter pour conduite sans permis. On le laisse en liberté sous caution. Comme il ne peut pas payer, on saisit ses biens, et on peut faire l'inventaire de ce qu'il y a dans sa bagnole.

— De toute façon, il aura pas le flingue sur lui.

— Oui, c'est probable. Mais qu'est-ce qu'il fout ? Il se balade ou quoi ? Et où a-t-il déniché cette bagnole ? Quoi de neuf, du côté de Sandy Stanton ?

— Elle est sortie. Pas encore rentrée.

— Et ton copain, il en pense quoi, de nous laisser entrer dans l'appartement ?

— Sans problème, mais il veut savoir si on a un mandat de perquisition. Je lui ai dit que tu t'en occupais.

— Qu'est-ce qu'ils ont tous à vouloir absolument rester dans la légalité ? Si on voit quelque chose qui nous intéresse, on obtiendra un permis, et on y retournera. Et la Buick ?

— Pas bougé. Personne ne s'en est approché.

— Bon, appelle un camion pour la faire enlever. Je pars dans cinq minutes.

— J'entends de la musique, dans le fond. Vous vous passez des disques, toi et M. Sweety ?

Raymond réfléchissait.

— Ecoute, il vaut mieux qu'on ne se complique pas avec Clement. Je veux dire, pour cette histoire de Montego ; dis seulement aux gars de le repérer et de pas le lâcher. A tout de suite.

Il retourna dans le salon. Son regard se posa une fois de plus sur la photo du jeune barbu aux cheveux longs.

— C'est qui, ça, un copain à vous ?

M. Sweety tourna la tête.

— Ça ? dit-il d'un air surpris. C'est Jésus. Vous croyiez que c'était qui ?

— C'est une photo.

— Ouais, on le reconnaît bien, hein ?

Raymond se rassit en hochant la tête, en face du Noir imposant dans sa robe de chambre.

— Vous croyez que vos péchés seront rachetés ?

— Je le souhaite. Ça me ferait pas de mal d'en avoir quelques-uns en moins.

— Je comprends... Rien ne vaut la paix de l'âme ! J'espère que je ne vous ai pas trop troublé. Vous avez l'air un peu paumé. Vous ne savez pas si vous devriez téléphoner à Clement ou non...

M. Sweety prit une expression accablée.

— Hé là... Pourquoi je voudrais faire ça ?

— Eh bien, pour lui dire que je suis venu... que Sandy est venue. Oui, mais alors vous seriez dans la merde, hein ? Moi, si je voulais être sauvé, et surtout si je voulais sauver ma peau, je crois que je resterais planqué sans bouger. Il vaut mieux être un peu perdu que dans la merde, pas vrai ?

— Et ne se confier qu'à Dieu...

— Même ça, je ferais gaffe. On sait jamais, peut-être que quelqu'un a placé des micros chez vous.

21

— Ouais, fait pas bien clair, ici, admit Clement en jetant un regard autour de lui.

Sur les murs de *Chez l'oncle Deano* étaient accrochés des bois de cerfs et des colliers de chevaux.

— C'est plus sombre que dans les autres bars où ils jouent du folk, mais c'est intime. Pas vrai ? J' me suis dit, puisqu'on va causer de choses personnelles, valait mieux un endroit tranquille. A part ce putain de flipper... Un singe en train de jouer de l'orgue électrique ferait le même boucan !

Il se cala confortablement sur sa chaise.

— J' vais te dire... Si notre maman n'avait pas été enlevée par une tornade, le printemps passé, on serait tous les trois à Lawton, en ce moment.

— C'est en Oklahoma, expliqua Sandy.

— Vingt dieux, tout de même, il a entendu parler de Lawton, non ? Bon, alors de Fort Sill, au moins... Tiens, ajouta-t-il en ôtant son chapeau de cow-boy pour le placer sur la tête de Skender Lulgjaraj. Comme ça, tu te sentiras plus à l'aise.

Le chapeau reposait sur les épais cheveux noirs de Skender. Après avoir essayé de l'enfoncer un peu plus, il se tourna vers Sandy.

— Hé ! T'as vraiment l'air d'un gardien de vaches, comme ça.

— C'est pas tout à fait ma taille, dit Skender, tenant à deux mains les bords du chapeau.

— C'est mignon. Ça va bien avec tes fringues, dit Sandy.

Un grain de pop-corn était tombé sur le revers du costume noir de Skender. Sandy se pencha pour l'enlever, puis un autre, accroché aux poils qui sortaient du col ouvert de sa chemise en soie beige.

Clement arrêta la serveuse qui passait à côté de lui.

— Hé, t'en as un beau T-shirt, dit-il en la prenant par le bras. Tu nous amènes une deuxième tournée, p'tit chou ? Et encore un peu de pop-corn. En passant, demande à Larry s'il veut bien nous jouer *Pourquoi tu m'as quitté, Lucille ?* D'accord ? Merci, p'tit chou.

Puis, se tournant vers Skender :

— Notre maman était folle de cette chanson. Chaque fois qu'elle l'écoutait, c'était le même truc : « Cette femme-là c'est qu'une roulure », qu'elle disait, « si c'est pas une honte d'abandonner quatre petits enfants affamés... » Je crois bien qu'elle l'aimait juste un chouia moins que *Luckenback Texas*. J' suis sûr que tu la connais, celle-là.

— Luke... comment ? dit Skender.

— Non, il me fait marcher ! jeta Clement à Sandy. Hein, tu me fais marcher, Skenny ? T'as jamais entendu *Luckenback Texas ?* Le refrain, c'est : « Qu'est-ce qu'on a fait de notre vie... »

— « De notre amour », corrigea Sandy. Pas « de notre vie ».

Clement la regarda de travers.

— T'es sûre ?

Sandy désigna de la tête l'orchestre qui allait se remettre à jouer.

— Ils viennent de la chanter. T'as qu'à leur demander.

Clement n'était pas convaincu.

— Mouais... Ça rime pas avec « on ne sait plus quoi acheter pour la maison... ».

— J'ai jamais dit que ça rimait. Mais c'est « de notre *amour* », pas « de notre vie ».

Skender les regardait l'un après l'autre, le chapeau toujours posé sur le sommet de la tête. Clement lui adressa un large sourire.

— Oh, et puis c'est pas grave. En tout cas, nous, on est là pour parler d'amour, pas vrai l'ami ?

— Dis donc, t'as de la repartie, ce soir, remarqua Sandy. Pourquoi t'essaies pas de trouver un boulot comme animateur de radio ?

— J'ai rien contre le boulot... D'ailleurs, j'ai fait du chemin, depuis les puits de pétrole jusqu'au monde de la spéculation.

Sandy écarquilla les yeux. Il allait finir par se planter, s'il continuait à divaguer comme ça.

— Mais j'aime mieux regarder mes investissements faire le boulot à ma place, continua Clement. Tu vois ce que je veux dire, hein, ajouta-t-il en lançant un clin d'œil à Skender. Sandy m'a dit que t'étais dans la restauration...

— Oui, les hot-dogs. A Coney Island. j'ai commencé, j'économisais quatre-vingt-trois dollars et trente-quatre cents par mois. A la fin de l'année, j'avais mille dollars. J'ai acheté une p'tite maison, et je l'ai louée. J'ai encore économisé quatre-vingt-trois dollars et trente-quatre cents par mois. J'ai acheté une autre maison, je l'ai retapée. Après, j'ai vendu la première maison, et j'ai acheté un autre stand de hot-dogs. Et puis j'ai acheté une autre maison, et encore des maisons, j'ai retapé, j'ai vendu, acheté un appartement, acheté un autre stand... Maintenant, douze ans après, j'ai deux appartements que je loue, et quatre stands de hot-dogs.

Sandy mit sa main sur le bras de Skender.

— Il est pas mignon, son accent ?

— Ouais, je suppose que le fisc te prend pas mal de ton pognon.

Skender haussa les épaules.

— Oui, mais je peux payer, j'ai de l'argent.

— Tu as déjà été marié ?

— Non. J'ai trente-quatre ans. Jamais marié. Mon cousin Toma et mon grand-père, le chef de la famille, ont voulu me marier avec une fille de Yougoslavie. Ils l'ont fait venir ici. Mais j'ai dit non, ils étaient très en colère... Moi, je veux épouser une Américaine.

Clement l'écoutait avec attention, penché en avant, les coudes sur la table.

— Je te comprends, mon pote. Une jolie petite Américaine qui sait s'arranger un peu, hein ? Ça se rase sous les bras, ça se parfume, ça met du déodorant partout... Tu vois ce que je veux dire, hein ? répéta-t-il en adressant de nouveau un clin d'œil à Skender. J'ai pas l'intention d'être indiscret, mais faut bien que je veille sur ma sœur, autrement, j' te jure que ma mère serait capable de revenir de là où elle est pour me passer un savon. J'ai dit à Sandy (pas vrai, Sandy ?) que, si ce gars-là était sincère, il verrait pas d'inconvénient à ce que je sois un peu curieux. On se fait du mauvais sang, quoi. Après tout, que j' lui ai fait, si tu dois devenir Mme Lulgurri...

Sandy roula des yeux effarés.

— Lulgjaraj, dit Skender. C'est un nom très répandu. J'ai vu dans l'annuaire qu'il y avait plus de Lulgjaraj que de

Mansell. J'ai bien cherché, mais j'en ai pas trouvé. Et je voudrais te poser une question, si ça t'embête pas : si vous êtes frère et sœur, pourquoi est-ce que vous avez pas le même nom ?

— D'abord, fit Clement, t'as qu'à nous regarder pour voir qu'on vient de la même souche, pas vrai ? Mais c'est toute une histoire, comment Sandy a changé son nom. C'était pendant qu'elle était à Hollywood, juste après l'élection de Miss Univers.

Skender hochait la tête en souriant :

— Ah oui ?

Sandy s'appuya contre le dossier de sa chaise, les yeux au ciel. Clement s'interrompit :

— J' vais t' dire une chose, mon gars...

Son regard devint fixe, impitoyable.

— ... T'as vraiment un sourire au poil. Ça me plaît, ça. Ça montre que t'as bon caractère.

Sous le regard de Clement, le sourire de Skender se figea. Son visage prit une expression gênée, presque douloureuse.

— Et j' vais t'dire encore autre chose, continua Clement. J' me suis baladé dans tout le pays, d'une côte à l'autre, rapport à ma profession de spéculateur, et tu me croiras peut-être pas, mais t'es mon premier Albanais... Où est-ce que t'habites, Skenny ?

Avant de partir, Skender s'éclipsa aux toilettes.

— J'ai pas réussi à m' dégoter un flingue, dit Clement à Sandy.

La jeune fille eut l'air de se troubler, ce qui surprit Clement.

— Sois gentil, dit-elle. T'es pas obligé de le faire ce soir.

— Ah ouiche ! J'ai sept dollars en poche, et j' sais pas où j' vais crécher cette nuit !

Clement suivait de près la Cadillac noire de Skender. Pas question de laisser une bagnole se mettre entre eux. Ils descendirent tout droit par Woodward, en direction du centre, prirent l'autoroute Davison en direction de l'est, puis enfilèrent la rue principale qui traversait Hamtramck... Encore à droite, retour vers Woodward... « Il sait même pas comment retrouver sa baraque, c't' oiseau », songea Clement. Après avoir tourné à un coin de rue, il se gara derrière la Cadillac, devant un immeuble en demi-cercle. 2721, rue Cardoni. Skender leur raconta qu'il habitait là depuis quatre ans. Il avait emménagé juste après que son frère eut été tué d'un coup de revolver. Clement, qui examinait les pancartes des rues alentour, dressa l'oreille. Il suivit Skender et Sandy qui pénétraient dans le bâtiment.

— Il a été tué, tu dis ?

Oui, par un membre d'une autre famille... C'était une histoire longue et ènnuyeuse à laquelle Clement ne comprit rien. Ça commençait par une querelle de bar, puis le frère avait été descendu, et après un cousin ou deux d'une autre famille s'étaient fait étendre aussi, avant que quelqu'un n'arrive de Yougoslavie pour régler la dispute.

Dans la cage d'escalier, Clement demanda à Skender si c'était lui qui avait descendu les deux cousins. Mais Skender ne l'entendait pas (à moins qu'il ne fasse semblant). Il était en train de dire à Sandy que oui, il habitait toujours au premier étage.

— Pourquoi est-ce qu'on va au second, alors? demanda-t-elle.

— Attends, tu vas voir, répondit Skender.

Clement n'arrivait pas à s'imaginer ce petit maigrichon en train de tuer quelqu'un, de toute façon.

Ayant ouvert la porte d'entrée, Skender s'effaça dans un mouvement théâtral. L'appartement était vaste. Clement n'en revenait pas... Tout était flambant neuf. On se serait cru devant la vitrine d'un magasin de meubles.

— Pour ma future femme, déclara Skender.

Son sourire découvrit des dents aux couronnes en or (c'était la première fois que Clement le voyait en pleine lumière). Otant son chapeau de cow-boy d'un geste cérémonieux, il déclama :

— Décoré dans le style « Méditerranée », création des meubles Lasky.

Skender montra la chambre des futurs époux, la chambre d'amis, qui serait peut-être transformée en lingerie (Clement donna un coup de coude à Sandy), la salle de bains rose et vert, la cuisine tout équipée, le compartiment à glace du réfrigérateur... et les deux bouteilles de slivovitz qu'il avait mises au frais pour fêter la surprise.

Sandy n'eut pas besoin de jouer la comédie. Elle était vraiment étonnée.

— Oh la la, que c'est gentil ! s'exclama-t-elle.

Pendant qu'elle déambulait dans l'appartement, touchait les statuettes d'animaux sauvages, les pétales en plastique des lampes tulipes, essayait les deux fauteuils inclinables recouverts de tissu à fleurs, contemplait le tableau de la petite fille aux grands yeux, avec, sur la joue, une larme plus vraie que nature, Skender avait débouché une des bouteilles. Il apporta trois verres à pied (qu'il tenait par le bord, les doigts à l'intérieur). Clement continuait à appeler Sandy « sœurette ». « Hé, tu vas être bien ici, sœurette ! » « T'as vu la lingerie, sœurette ? C'est-y pas un bon p'tit gars... ? »

— Hé bé, pas dégueu, ton apéro !

Il poussa Skender à ouvrir la seconde bouteille. « Ce machin a vraiment un goût de pisse de cheval », décida Clement. Mais il voulait que l'Albanais se sente en confiance. On avait tout le temps...

— Bon, qu'est-ce que c'est que cette histoire de pièce secrète, dit-il un peu avant la fin de la deuxième bouteille. J'espère que c'est pas pour enfermer sœurette si elle boude ou si elle est pas gentille...

Clement n'avait jamais vu de cave aussi propre. Chacun des douze locataires de l'immeuble possédait son box personnel. Il y avait une grosse chaudière. On aurait dit une chaufferie de bateau, avec tous ces tuyaux en aluminium qui couraient le long du plafond, et les murs de brique peints en vert clair.

— Attention maintenant, s'il vous plaît, dit Skender.

Comme si Clement allait regarder ailleurs... Skender tendit le bras vers une boîte métallique qui ressemblait à un compteur, fixée sur le mur à côté de la chaudière. L'ayant ouverte, il enfonça un bouton. Clement entendit le ronronnement d'un moteur. Levant la tête dans la direction du bruit, il aperçut un fil électrique qui se perdait dans un coin du mur. Depuis le sol jusqu'au plafond, un pan de cloison d'environ un mètre de large pivotait en grondant sur des gonds invisibles, tandis que le moteur, tournant à pleine vitesse maintenant, luttait pour actionner la lourde masse... Ben, mon cochon !

La pièce qui apparut mesurait environ trois mètres sur quatre.

— Ça, par exemple ! s'exclama Clement en franchissant le seuil.

Il repéra immédiatement le coffre-fort ; soixante centimètres de haut à peu près, avec un téléphone et un annuaire sur le dessus. Il y avait aussi un petit réfrigérateur, une mini-cuisinière électrique, un tourne-disque, une demi-douzaine de chaises pliantes, des sacs de couchage, une table sur laquelle était posée un sucrier, et aux murs des affiches représentant des villages blancs au bord de la mer, avec tout un tas de mots bizarres que Clement ne parvenait pas à déchiffrer. Une porte accordéon dissimulait une pièce plus petite, avec un évier, des toilettes, et des étagères bourrées de boîtes de conserve.

Pendant que Clement se livrait à l'examen des lieux, Skender avait allumé le tourne-disque. La voix de Donna Summer emplit la pièce. Du disco, évidemment... Clement essaya d'ignorer la musique.

— Hé bé ! C'est pour faire joujou, ici, ou bien c'est pour de vrai ?

— Pardon, dit Skender en souriant, qu'est-ce que tu dis ?

— J'ai bien entendu parler des Ritals et de leurs combines de mafia, reprit Clement, mais comment ça se fait que j'ai jamais entendu parler de vous autres ?

— Surtout toi, qui lis tant, dit Sandy.

Clement lui adressa un large sourire. Elle se détendait, la poulette. Parfait. Il allait bien se marrer ! Combien de fois lui avait-il répété : « Si on se marre pas, ça vaut pas le coup, non ? »

Il reporta toute son attention sur Skender qui s'était agenouillé pour ouvrir le coffre-fort. (C'était même pas fermé à clef, cette connerie !) Il y déposa une enveloppe qu'il avait tirée de sa poche.

« Comme ça, devant tout le monde ! se dit Clement. Non, mais tu l'as vu ? » Qu'est-ce qu'il s'éclaterait, quand il raconterait ça plus tard... A Sweety, peut-être. Il tirerait une de ces gueules, le vieux nègre !

Le brandy et le whisky lui tenaient chaud au ventre, maintenant. Après tout, la musique n'était pas si mauvaise...

— Dis-moi, beau-frère, qu'est-ce que t'as dans cette boîte ?

— Je garde toujours un peu d'argent, quelques petites choses.

Skender sortit un automatique du coffre pour le montrer à Clement. Clement fit un pas en avant. Il hésitait. Skender le lui tendit. Arme en main, Clement regarda Sandy qui le surveillait du coin de l'œil.

— Ça, c'est un Browning, dit-il.

— Oui, et celui-ci, c'est un Tchèque 765. Ce petit-là, c'est un Mauser. Celui-là, je crois que c'est un Smith et Wesson. Celui-là... Je ne sais pas ce que c'est.

Skender posait les pistolets sur le sol, un à un, à côté du

coffre-fort. Clement fit basculer le chargeur du Browning, vérifia son contenu, puis le referma d'un coup sec.
— Ils sont tous chargés ?
— Bien sûr.
— Qu'est-ce que t'as d'autre, là-dedans ?
— C'est tout pour les revolvers. J'ai un peu d'argent.
— Combien ?
La tête levée vers Clement, Skender parut hésiter. Il dut rattraper de la main le chapeau de cow-boy qui glissait en arrière.
— J'en ai mis un peu la semaine dernière... Quatre cents, et des poussières...
— Quatre cents, répéta lentement Clement. Quatre cents, hein ?
— Un peu plus.
— Combien plus ?
— Cinquante dollars, peut-être.
Clement fronça les sourcils.
— Tu mets ton argent à la banque ?
De nouveau, Skender hésita.
— T'inquiète pas, intervint Sandy, il le dira à personne.
Skender sortit une enveloppe du coffre. Il en tira un petit reçu rose.
— J'ai un bon d'épargne... Quarante mille trois cent quarante-trois dollars.
— C'est là que t'as tout ton fric, *quarante* mille dollars !
— Oui.
— J'aurais pas cru que tu faisais confiance aux banques.
— Si, j'aime bien les banques. Elles me prêtent de l'argent quand j'en ai besoin.
Clement jeta un regard furieux à Sandy.
— Eteins-moi ces putains de bêlements, ordonna-t-il d'un ton brutal.
Interloquée, la jeune fille ne bougeait pas. Clement fit un pas vers le tourne-disque ; d'un geste, il en balaya le bras, et la voix de Donna Summer mourut dans un grincement.
— Ce disco à la con me détraque la cervelle.
Il y eut un silence. Sandy, très posée, prit la parole.
— Il y a quelqu'un qui devrait se calmer, ici, je trouve, et cesser de se conduire comme un enfant gâté. Tu vas pas en mourir.
Skender se tourna vers Sandy.
— Pourquoi il a fait ça ? Je ne comprends pas.

— Juste un petit malentendu. Mais tout est arrangé, maintenant.

Clement avait retrouvé son sang-froid.

— Combien t'as sur ton compte-chèques ?

Sandy adressa un sourire encourageant à Skender.

— Pas beaucoup. Deux ou trois cents dollars, peut-être... Pourquoi tu me demandes ça ? reprit-il d'une voix hésitante, comme s'il craignait d'offenser Clement.

— Quand on a une petite sœur, on veut s'assurer qu'elle sera en de bonnes mains.

Poings sur les hanches, il regardait autour de lui.

— Pour ça, t'as pas de souci à te faire. Est-ce que je peux avoir le pistolet, maintenant ? Je vais le ranger.

Sandy observait l'Albanais. Son visage avait pris une expression sérieuse, presque triste. Il était déçu. Ou peut-être commençait-il à se douter de quelque chose.

Sans même daigner baisser les yeux vers lui, Clement continuait son examen.

— Quand t'es planqué ici, et que la porte est fermée, tu peux l'ouvrir, si tu veux ?

— Oui, il y a un bouton, là-bas.

Clement se dirigea vers la boîte métallique désignée par Skender, sur l'un des murs de la pièce. Tenant le Browning par le canon, il donna des coups de crosse jusqu'à décrocher à demi le système. Skender lâcha un flot de paroles en Albanais. Au moment où il se relevait, Clement braqua le Browning dans sa direction.

— Bouge pas, Skenny. Là, sage...

Il arracha le bouton du mur, et le lança dans la cave. Puis il réfléchit rapidement. S'il se contentait d'enfermer le mec, ça ne serait pas une leçon suffisante. Non, il fallait qu'il comprenne qu'on ne doit pas prendre la vie à la légère.

— Tu connais le numéro d'une ambulance ? dit-il en faisant un pas vers Skender.

Les yeux noirs qui le fixaient étaient chargés de haine. Ouais, ils savaient avoir l'air méchant, ces Albanais...

— Je veux que tu partes, maintenant, dit Skender.

— On s'en va, mon pote. Mais d'abord, je veux passer un p'tit coup de bigophone à une ambulance.

— Pourquoi ? dit lentement Skender.

Bon sang, même quand ils se mettaient en rogne, ils étaient vraiment naïfs... Y'aurait de quoi paumer une sonde dans son crâne, tellement qu'il était épais, celui-là.

— C'est pas pour moi, dit-il. C'est pour toi.

D'un geste, il fit voler le chapeau de cow-boy de la tête de Skender et appuya le Browning contre sa tempe.

— Oh non, murmura Sandy.

Dans le mouvement qu'il fit pour lever les yeux vers Clement, le front de l'Albanais se creusa de rides.

— Allez, va te mettre près de la porte, maintenant.

L'Albanais jeta un regard vers Sandy. Clement le frappa brutalement derrière la tête d'un coup de revolver. Skender obéit. A genoux, il se traîna vers l'ouverture du mur.

— Allez, sors maintenant, et puis retourne-toi, et assieds-toi, dit Clement.

— Qu'est-ce que tu vas lui faire ? demanda Sandy.

— Amène le téléphone à l'extérieur, p'tit chou. Le fil est assez long. Demande à l'opératrice de te passer une ambulance. Tu leur diras d'envoyer une voiture ici, au 2721, rue Cardoni, au coin de Caniff... Bouge pas, l'ami, fit-il à l'adresse de Skender. Je suis à toi tout de suite.

Lorsque Sandy eut sorti le téléphone, Clement la rejoignit dans la cave. Au passage, il ébouriffa de la main les cheveux de Skender.

Celui-ci avala sa salive avec peine. Il dit quelques mots dans une langue que Clement ne comprit pas. Puis il ajouta :

— Tu es fou.

— Allonge-toi, et laisse ta jambe dans l'ouverture, ordonna Clement. N'importe laquelle, je m'en fous.

S'approchant de la chaudière, il éleva la main pour pousser le bouton. Le moteur se mit en marche, le mur commença lentement à se refermer. Skender, se tordant pour regarder Clement, retira sa jambe. Clement arrêta le moteur. Il s'approcha de Skender et lui plaça le Browning contre la tête.

— A toi de décider, mon pote. Ou bien tu laisses ta guibolle, ou bien je fais voler ce que t'as sous ton p'tit scalp à travers la cave.

Sandy avait obtenu la communication.

— Allô ? On va avoir besoin d'une ambulance. J' veux dire maintenant, tout de suite.

Clement retourna à la chaudière. De nouveau, il actionna le mécanisme et regarda le mur s'ébranler. Poussée par la porte, la jambe de Skender glissait lentement vers l'autre partie du mur. Effaré, Skender ne voulait pas croire ce qui lui arrivait. C'était impossible...

Clement tira le bouton. Le bruit du moteur cessa. Skender

releva des yeux où se lisaient de la terreur, et peut-être, encore, une faible lueur d'espoir.

— Je veux que ça soit bien clair entre nous, l'ami, dit Clement. J'suis un peu déçu, mais je suis pas vraiment en colère contre toi. Tu vois, autrement j'aurais déjà appuyé sur la détente. Seulement, quand tu seras sur un pieu à l'hôpital, avec la jambe dans le plâtre, je veux pas que tu te mettes des sales idées dans la tête, comme d'aller raconter ça à la police, ou à qui que ce soit. Parce que si tu fais ça, je reviendrai te rendre visite, et cette fois-ci, c'est pas ta jambe, c'est ta tête qu'on mettra dans la porte. Tu piges ? Fais oui de la tête.

— Non, il ne s'agit pas d'une crise cardiaque, disait Sandy au téléphone.

Clement enfonça une dernière fois la manette. Il laissa son bras retomber le long de son corps.

— Mais bien sûr que c'est grave, disait Sandy.

Le moteur avait recommencé à gronder. Skender poussa un petit cri. Le visage crispé, il retenait sa respiration. Puis un son s'échappa de sa gorge, il ferma les yeux, inclina la tête en arrière. Le son enfla... Skender hurlait.

— Bon, c'est assez grave pour vous, ça, maintenant ? Espèce de connard...

22

Raymond eut une vision. Ou, en tout cas, c'était à ça que ça devait ressembler, une vision. Lorsque Herzog lui apprit que l'Albanais était à l'hôpital, il vit clairement ce qui allait se passer.

Il vit les Albanais qui se lançaient à la poursuite de Clement. Il vit Clement se ruant sur son revolver, pour se défendre. Il vit M. Sweety, oui, avec le Walther P.38. Il vit Clement tenant le revolver dans ses mains, l'arme du meurtre Guy et Simpson. Et lui, Raymond, avec son colt 9 mm à bout de bras...

La vision perdit de sa netteté. Raymond se demanda s'il y avait des chances que cela se réalise. « Attends, se dit-il, va pas trop vite. Regarde encore... Reviens en arrière. Bon, tu étais assis à ton bureau... »

... Wendell parlait au téléphone :

— Ce que vous savez et ce que vous croyez sont deux choses différentes. Moi, je vous demande ce que vous *savez*.

Norb Bryl avait en face de lui une femme d'âge mûr.

— Nous pouvons lui venir en aide, je vous donne ma parole.

Raymond n'avait pas entendu ce que la femme répondait.

— Bon, eh bien, j'espère qu'elle ne se fera pas tuer, dit Norb Bryl.

Hunter discutait avec Maureen. Il imitait la voix d'un Noir des bas-fonds.

— « Ouais, qu'il m'a fait, elle est venue me demander si elle pouvait caresser ma p'tite chose. » Tiens, tiens, je me suis dit, il se l'est faite avant de la tuer... Hein, c'est ce qu'on dirait ?

Maureen avait souri.

— Eh ben non, le gars avait un chien, dans sa bagnole, et elle voulait caresser le chien !

Le commissaire Herzog était entré, s'était approché du bureau de Raymond.

— Vous avez bien dit que la petite amie de Mansell, comment s'appelle-t-elle déjà... Sandy Stanton, fréquentait un Albanais ?

C'était là qu'avait commencé la prémonition. L'estomac contracté, Raymond s'était rappelé soudain qu'il avait oublié de prévenir Skender, de lui dire d'être prudent.

— Oui, Skender Lulgjaraj, parvint-il à dire, la gorge nouée.

— Oui, c'est ça, Skender. Art Blaney était allé rendre visite à sa femme, à l'hôpital Hutzel. En passant devant une chambre, il a croisé Toma. Art a jeté un coup d'œil à l'intérieur, et il a vu Skender. La jambe cassée, en traction. Quand il a demandé à Toma ce qui lui était arrivé, Toma a répondu qu'il était tombé dans les escaliers.

Une immense lassitude avait envahi Raymond.

— Oh merde ! murmura-t-il.

— Allons dans mon bureau, dit Herzog.

C'est en entrant dans le bureau, lorsqu'il aperçut la rivière et le gratte-ciel, que Raymond eut sa vision.

— Je voulais lui téléphoner, dit Raymond. Je ne sais pas comment j'ai pu oublier. Je me doutais bien qu'ils voulaient lui tendre un piège, et je n'ai pas appelé !

— Selon Toma, c'est un accident. C'est peut-être vrai.

Raymond secoua la tête.

— Non. Je vais enquêter sur ce qui s'est passé... Mais ce n'est pas un accident.

— Ça arrive à tout le monde. On a des soupçons. La plupart ne se vérifient pas. Alors souvent, on n'y fait pas attention.

Herzog désigna du menton le panneau mural sur lequel étaient épinglés des articles de journaux traitant du meurtre de Guy et Simpson.

— La majorité d'entre eux ne sont que soupçons, spéculations. Qui a tué le juge ? On s'en fout. Adele Simpson ? C'est à peine si on parle d'elle. Il n'y en a que pour le juge. On apprend que c'était un salaud... La plupart des journalistes se contentent de quelques faits qu'on leur donne. Ensuite, on ne les voit plus. Ils vont rédiger leurs interviews, pleines de : « Oh oui, je connaissais très bien le juge, ça ne me surprend pas du tout. »

Que l'enquête aboutisse ou pas, ils s'en fichent. Tant qu'ils ont de quoi barbouiller leurs petits papiers...

Raymond, encore tout à sa vision, attendait patiemment.

— Il n'y a que cette journaliste du *News*, Sylvia Marcus, continua Herzog, qui s'intéresse à Mansell. « S'il est suspect, où est-il ? Pourquoi n'est-il pas ici ? »

— Je ne l'ai pas vue dans les parages.

— Elle vient tous les jours. Je ne sais pas comment elle a fait pour remonter jusqu'à lui. Elle a sans doute grapillé quelques informations par-ci par-là, peut-être vu un dossier ouvert sur un bureau. Elle est très futée, cette fille-là.

— Vous croyez ?

— En tout cas, elle pose des questions intelligentes. Au fait, j'en ai quelques-unes moi aussi qui me turlupinent. La voiture, par exemple, la Buick. Il me semble que vous ne vous êtes pas trop pressés de ce côté-là...

— Oui, je vous l'accorde. Mais vous savez depuis combien de temps on est sur cette affaire ? Soixante-douze heures. C'est tout. Depuis le retour de Sandy de chez M. Sweety, la voiture n'a pas bougé. Hier soir, on l'a enlevée. On a passé l'aspirateur, examiné le moindre grain de poussière. Rien. Comme si quelqu'un avait conduit avec des gants pendant vingt mille kilomètres. Clement roule en Montego maintenant. Il est sorti hier soir, mais personne n'a pu retrouver sa trace. Il n'est pas rentré aujourd'hui. Sandy est sortie aussi, mais elle est revenue, en taxi, tôt ce matin. On a visité l'appartement hier pendant qu'ils étaient tous les deux absents. Pas le moindre revolver. Ni dans les sous-vêtements, ni dans le réservoir de la chasse d'eau. Et rien non plus qui ait appartenu au juge.

— C'est donc qu'il s'est débarrassé du revolver.

Raymond garda le silence.

— Vous vous retenez, vous ne voulez pas enfoncer les portes trop tôt... En attendant, Clement se balade en Montego, me dites-vous, et a peut-être cassé la jambe de quelqu'un. Si vous ne réussissez pas à attraper Mansell avec le revolver, comment allez-vous le pincer ?

— Peut-être que le revolver est toujours dans le coin. Mais vous avez raison, je me suis forcé à la patience. Je suis trop poli. Je crois toujours que les gens feront preuve de bon sens. Et j'oublie un des principes fondamentaux de l'enquête policière.

— Quand on les tient par les couilles..., commença Herzog, la tête et le cœur suivent bien vite.

L'un des membres de la famille était mort quelque temps auparavant. C'est pour ça que les Albanais étaient en noir. Lorsqu'il aperçut leur groupe dans le couloir de l'hôpital, Raymond les prit tout d'abord pour des prêtres. Une infirmière tentait de les refouler hors de la chambre de Skender. « Deux à la fois seulement, je vous prie, leur disait-elle. Attendez dans la salle réservée aux visiteurs. »

Raymond reconnut Toma Sinistaj.

Lorsque Toma aperçut Raymond Cruz, il échangea quelques mots avec ses compagnons. La délégation en noir s'éloigna dans le couloir, avec sa cargaison de paquets et de sacs en plastique.

Tout en examinant Toma, Raymond songea à ces têtes que l'on trouve gravées sur les pièces de monnaie étrangère. Ou à un diplomate des Balkans. Ou encore à un coureur de fond. Sous la veste étroite de son costume noir, l'Albanais portait une chemise bleue, et une cravate. Il avait la quarantaine, mais paraissait plus vieux. Son épaisse moustache était noire. Lorsqu'il vous regardait, ses yeux, noirs aussi, ne vous quittaient pas un instant. Raymond se rappelait ses yeux. Il avait rencontré Toma plusieurs fois, par le passé, à une époque où les Albanais s'entre-tuaient. Raymond se souvenait aussi que Toma possédait plusieurs restaurants, qu'il portait un Beretta sur lui, avec un permis, et un émetteur électronique.

Le lit de Skender était équipé d'un dispositif élaboré, permettant de maintenir en l'air sa jambe plâtrée. Comme une sculpture toute blanche, qui serait intitulée : La Jambe. Skender gardait les yeux fermés. Raymond demanda comment il allait.

— Il va rester longtemps comme ça, et ensuite, il sera estropié. Et vous savez pourquoi ? Parce qu'il voulait épouser une fille qu'il avait rencontrée dans une discothèque. Elle était d'accord, mais elle voulait qu'il rencontre son frère avant.

— Ce n'est pas son frère.

— Oui, c'est ce que je pense aussi. Ils avaient prévu leur coup depuis longtemps.

— Combien lui ont-ils pris ?

— Qu'est-ce que ça change ? Vous savez très bien que ce n'est pas ça qu'on regarde, nous. Ce qu'il a fait à Skender, c'est à moi qu'il l'a fait. Je vais aller trouver ce Mansell, le regarder droit dans les yeux...

— Ce n'est pas si simple, dit Raymond.

— Et pourquoi pas ? Vous vous faites du souci, parce qu'il faudra m'arrêter ? Et alors, ajouta-t-il en haussant les épaules. Même si vous arrivez à prouver que c'est moi qui l'ai tué, vous faites votre boulot, et moi le mien.

— Non, ce n'est pas si simple, parce que, moi aussi, je le veux. Vous n'avez qu'à faire la queue. Quand on en aura terminé avec lui, vous pourrez le faire accuser de crime, voies de fait, tout ce que vous voudrez, mais ça ne changera pas grand-chose s'il a déjà écopé de la perpétuité. Vous me comprenez ?

— Je comprends que vous voulez l'avoir parce qu'il a tué le juge. J'ai passé un petit bout de temps au palais de justice, j'ai interrogé des gens que je connais. Je comprends pourquoi vous voulez avoir cet homme. Mais si cela ne vous touche pas personnellement qu'il ait tué le juge, alors qu'est-ce que ça peut vous faire qui le tue, lui ? Vous voyez mon point de vue ? Vous, vous me dites de me mettre à la queue, et moi, je vous dis que vous avez intérêt à vous dépêcher si vous voulez l'avoir, sinon, il sera déjà mort.

— Vous les regardez toujours droit dans les yeux ?

— Quand j'ai le temps, fit Toma avec un sourire fugitif.

— Il a tué neuf personnes.

— Ah oui ? Puisque vous savez que c'est un tueur, pourquoi le laissez-vous faire ? Avant de venir dans ce pays, à seize ans, moi aussi j'avais déjà tué neuf personnes, peut-être plus. La plupart des Russes, mais aussi quelques Albanais, des gens de ma famille. Avant les Russes, c'était les Turcs. Mais avant les Turcs, toujours il y a eu la Coutume. Si vous ne savez pas ça, vous ne savez rien de moi.

Raymond comprenait. Il chercha à le lui montrer.

— Je nous considère comme amis, dit-il.

— Oui. Quand vous donnez votre parole, vous la respectez. Vous savez sûrement ce que c'est que l'honneur, parce que ça n'a pas l'air de vous gêner d'en parler. C'est pas une chose démodée, qu'on ne trouve que dans les livres, pour vous. Mais peut-être aussi qu'il y a un moment où vous jugez que l'honneur s'arrête. Si un policier est tué, vous voulez tuer celui qui l'a tué...

— Oui, dit Raymond.

Au fond, c'était la vérité.

— ... Mais ce que vous ne comprenez pas, c'est que même quelqu'un qui a fumé de mon tabac, pas forcément mon frère, mais tout simplement un homme que je reçois chez moi, je suis lié à lui par l'honneur. Si on l'insulte, c'est moi qu'on insulte. Et s'il est tué, alors moi, je tue celui qui l'a tué ; tout ça remonte à bien avant les policiers et les lois. Si un homme casse la jambe à votre cousin, quelqu'un que vous considérez un peu comme votre frère, un type honnête et sans méfiance, et lui vole son argent... qu'est-ce que votre honneur vous commande de faire ?

— Mon honneur me commande...

Ses paroles résonnaient étrangement à ses oreilles.

— ... de lui faire sauter la tête.

— Vous voyez ; c'est là que votre honneur s'arrête. Vous ne dites pas tout simplement « de le tuer ». Ce que vous dites, c'est ce que vous avez *envie* de faire. Et c'est quelque chose de plus que de tuer. Mais ce que vous faites vraiment, c'est quoi ?

— Je le fais arrêter.

— Et voilà ! conclut Toma. En tout cas, c'est rare de trouver quelqu'un à qui parler comme ça, même si nous ne pensons pas de la même façon. Quelqu'un qui ne me traite pas de fou d'Albanais.

— Comment comptez-vous le retrouver ?

— Nous avons des amis, des connaissances, beaucoup de monde pour le chercher. Parmi ceux de notre famille, il y en a qui sont de la police, à Hamtramck, ils nous disent ce qu'ils entendent à droite, à gauche. Nous savons quelle voiture il a, où habite la fille. Oh, on le trouvera...

— Et s'il quitte Detroit ?

Toma haussa les épaules.

— On verra. Pourquoi habite-t-il ici ? Parce que la ville lui plaît, que les gens sont faciles à voler ? S'il part, nous attendrons qu'il revienne, ou bien nous le suivrons... L'un ou l'autre.

Raymond regarda Skender, immobile sur le lit.

— Comment a-t-il cassé la jambe de Skender ?

Toma marqua une légère hésitation.

— Il l'a fait de sang-froid. Vous avez vu le rapport du médecin ?

— A ce qu'il paraît, Skender est tombé dans les escaliers de la cave, et l'un des locataires, celui qui l'a trouvé par terre, a appelé l'ambulance.

— C'est la fille qui a téléphoné. Dès que je vous ai vu arriver ici, j'ai compris que vous recherchiez ce type, Mansell, et que vous aviez deviné que c'était lui qui avait fait le coup. C'est donc pas la peine que je vous mente. Vous poursuivez le gars pour meurtre, mais vous ne le tenez pas encore. Je sais aussi que vous n'avez pas de preuves contre lui, et qu'il restera en liberté tant que vous n'en aurez pas. Même s'il a tué deux personnes, non, neuf, vous avez dit.

— Cela prend du temps.

— Non, répliqua Toma en secouant la tête. Dites-moi où je peux le trouver. Ça prendra pas plus de quelques minutes.

Raymond ne répondit pas.

— Pour l'honneur, insista Toma.

— Pour *votre* honneur, oui, mais le mien ? Qu'est-ce que vous en faites ?

Le regard de Toma se fit inquisiteur.

— Alors c'est que vous cachez quelque chose dans cette histoire. Peut-être voudriez-vous le tuer vous-même, après tout...

— Peut-être.

Toma restait songeur, le regard fixé sur Raymond.

— S'il résiste, à la rigueur, je peux imaginer ça. Ou si on vous donne le feu vert pour le tirer à vue. Mais s'il se rend, qu'est-ce que vous faites dans ce cas-là ?

— Je peux vous retourner votre question. Que feriez-vous si, en ouvrant une porte, vous le trouviez là, assis, en face de vous ?

— Je le tuerais. De quoi avons-nous parlé jusqu'à maintenant ?

— Oui, je sais. Mais s'il n'était pas armé ?

— Je le tuerais aussi. Qu'est-ce que ça a à voir, le fait qu'il soit armé ou non ? Est-ce qu'il existe des conditions, des règles, comme dans un jeu ? Qu'est-ce que c'est que cet honneur que l'on ne défend que si l'autre a un revolver ? Et s'il vous tue le premier ? Alors vous mourez avec votre honneur ? Quand je pense que c'est nous, les Albanais, que l'on traite de fous !

Toma avait parlé avec une sorte d'enthousiasme un peu exagéré, théâtral. Dans ses yeux apparaissait un mélange de surprise et d'incrédulité. Un fin sourire se dessinait sur ses lèvres. Raymond songea qu'il était temps de partir. Il jeta un dernier regard à Skender.

— Dites-moi comment c'est arrivé.

— Il a d'abord essayé avec un objet très lourd. C'était douloureux, mais ça ne lui a pas suffi. Il voulait que ce soit plus grave. Alors il a fait allonger Skender sur le sol, il a placé son pied sur une caisse, et il a frappé le genou avec une barre en métal jusqu'à ce que la jambe soit pliée dans l'autre sens. Skender se souvient que la fille a crié quelque chose. Et puis après, plus rien, sauf la sirène de l'ambulance qui l'emmenait à l'hôpital central de Detroit. C'est moi qui l'ai mis ici, ce matin, pour consulter un médecin que je connais.

— Il a entendu Sandy, vous avez dit ?

— La fille ? Oui, elle a crié quelque chose.

— Skender se souvient-il de ses paroles ?

Toma jeta un regard vers Skender, toujours endormi. Puis il haussa les épaules.

— Est-ce que ça change quelque chose ?

— Je ne sais pas. Peut-être...

Hunter attendait devant l'entrée de l'hôpital, au volant d'une Plymouth bleue. Lorsque Raymond s'installa à côté de lui, il mit le contact. Le pied sur l'accélérateur, il tourna plusieurs fois la clé. La voiture ne démarrait pas. Le moteur toussotait.

— J'ai vu Toma, dit Raymond. Il veut descendre Clement lui-même.

— Il n'est pas le seul... Connerie de bagnole.

— Il m'a parlé de son code d'honneur. Il a dit qu'il regarderait Clement droit dans les yeux avant de lui faire la peau.

— T'as qu'à lui dire qu'il peut y aller.

— Je lui ai demandé ce qu'il ferait si Clement n'était pas armé. « Qu'est-ce que ça a à voir, ça ? » a-t-il répondu.

— Bon Dieu, on comprend pourquoi leurs affaires vont mal, quand on voit les bagnoles de merde qu'ils vous refilent !

Le moteur démarra.

— Pas possible ! s'exclama Hunter.

— Vois-tu, ce qu'il n'arrivait pas à comprendre, c'était que, nous, on tuerait Clement seulement s'il résistait.

— Ah ouais ? Bon, où on va ?

— Au bar *Chez Sweety*, rue Kercheval. En fait, il voulait me prouver...

Raymond s'interrompit.

— Ce qu'il ne comprenait pas...

— C'était quoi ?

— Quand je lui ai dit que Clement avait tué neuf personnes,

il m'a demandé très calmement : « Si vous savez que c'est un tueur, pourquoi le laissez-vous faire ? »

— Qu'est-ce que t'as répondu ?

— Je ne sais plus... Après ça, on s'est mis à parler d'honneur.

— La Coutume... Ces connards d'Albanais, ils sont tous dingues.

Raymond se tourna vers lui.

— Tu en es sûr ?

Une jeune femme avec une coiffure Afro et des yeux inquiets, serrant autour d'elle un peignoir à fleurs, ouvrit la porte.

— M. Sweety travaille.

— Ça ne vous dérange pas si on jette un petit coup d'œil ? Je voudrais lui montrer quelque chose... Cette photo, là, audessus du divan.

— Quelle photo ? demanda la femme en se tournant à demi.

Raymond en profita pour attirer Hunter dans l'embrasure de la porte. Puis, lorsque Hunter eut regardé à l'intérieur, ils redescendirent les marches du perron. Hunter attendait visiblement une explication.

— Tu l'as vue ? demanda Raymond.

— Ouais. C'est la photo d'un type, quoi.

— Tu sais qui c'est ?

— Non. Une vedette de rock quelconque... Leon Russell.

— C'est Jésus.

— Ah ouais ? fit Hunter sans avoir l'air particulièrement surpris.

— Mais c'est une *photo* !

— Ouais, on le reconnaît pas tellement, je trouve.

Pendant que les deux hommes se dirigeaient vers *Chez Sweety,* Raymond garda le silence. Pourquoi donc était-il le seul à s'étonner de choses que les autres trouvaient tout à fait normales ?

Des voix de Blancs s'élevaient dans le bar que ne fréquentaient le plus souvent que des Noirs. Deux femmes ; des paroles âpres.

Bien que ce fût l'après-midi, l'endroit était obscur. Avec sa chemise noire ouverte sur sa poitrine et le bas de nylon dans lequel il avait serré ses cheveux, M. Sweety avait l'air d'un pirate; une odeur de bière flottait dans la pièce, une salle vieille et triste, avec de hauts plafonds en tôle. Deux femmes et un homme étaient assis à un bout du comptoir. Ils tournèrent la tête vers Raymond et Hunter lorsque ceux-ci prirent place sur des tabourets, à l'autre bout, puis reportèrent leur attention sur les voix qui sortaient d'un poste de télévision installé sur le mur, au-dessus d'eux. Un mauvais feuilleton...

— Je croyais que vous ne travailliez que la nuit, dit Raymond.

— Je travaille tout le temps, répondit M. Sweety. Qu'est-ce que je vous sers ?

— Vous préférez qu'on discute ici, ou bien chez vous ? Je ne voudrais pas vous embarrasser devant vos clients.

— Alors ne dites rien.

— Non, c'est à vous de décider.

— Vous voulez rien boire ?

— Tout ce qu'on veut, dit Raymond en élevant ses deux index à une distance de quinze centimètres l'un de l'autre, c'est un truc long comme ça, bleu acier, avec P.38 gravé sur la crosse.

— Oh merde, vous allez pas recommencer !

— Sandy m'a dit qu'elle vous l'avait donné.

Mains appuyées sur le comptoir, de chaque côté de lui, M. Sweety avait les yeux à la même hauteur que ceux de Raymond et de Hunter, assis sur leurs tabourets. Il tourna la tête vers l'autre bout du bar, fit mine de s'essuyer la bouche sur son épaule, puis regarda de nouveau Raymond.

— Qu'est-ce qu'elle vous a dit, Sandy ?

— Qu'elle vous avait donné un Walther P.38 que Clement voulait vous confier pour quelque temps.

— Attends, dit Hunter, il faut que je lui fasse signer ses droits.

— Pour quoi faire ? Je signe pas ces machins, moi.

— De toute façon, c'est pas la peine, continua Hunter. On a déjà des témoins, avec ces gens là-bas. On n'a plus qu'à sortir le mandat de perquisition.

Raymond avait pris une grosse enveloppe dans la poche intérieure de sa veste. Il la posa sur le comptoir, la face portant l'adresse vers le bas, et la couvrit tranquillement de sa main.

M. Sweety tourna la tête de droite à gauche, plusieurs fois, comme pour étirer sa nuque raide.

— Sans déconner, j' sais que dalle, moi. Je vous l'ai déjà dit hier soir.

— Ecoutez-moi bien, reprit Raymond. Je vous crois. Mais le problème, c'est que vous vous trouvez mêlé à une affaire louche. Evidemment, vous êtes un peu embrouillé. On le serait à moins.

— J'ai rien à vous dire.

— Je comprends votre position. Vous écopez d'un flingue pas net, et voilà qu'on vous tombe dessus.

Il fit un geste vague de la main. L'enveloppe était toujours sur le comptoir.

— Ce que je vois aussi, c'est que, pour l'instant, vous êtes plus embrouillé que vraiment dans la merde. Sandy vous a fourré là-dedans, et vous comprenez pas ce qui se passe. Elle est venue, vous a dit que Clement voulait que vous lui gardiez son flingue. Mais nous, on apprend que Clement n'est au courant de rien. Maintenant, faites bien attention. Une chose est claire, Sandy ne veut pas que Clement sache qu'elle est venue ici. Quand je vous ai raconté ça hier, j'ai bien vu que vous étiez surpris. « Et pourquoi ? » je me suis demandé. Pourquoi seriez-vous surpris ? Parce que Sandy vous a *dit* qu'elle venait de la part de Clement. Mais puisque Clement ne sait pas qu'elle est venue, à plus forte raison il ne sait pas qu'elle a apporté quelque chose. Pas vrai ? Vous me suivez, jusque-là ?

— Mouais, j' suis un peu largué aux tournants.

— Il y a quelques questions qui vous trottent dans la tête, je sais. Mais est-ce que vous avez vraiment envie de savoir ? Vous voyez, tout ce qu'on veut, nous, c'est le flingue. Bon, ouvrez bien vos oreilles : si on *doit* le chercher, ce qu'on trouvera c'est l'arme d'un crime, en votre possession. Et alors, non seulement on vous lira vos droits, mais, en plus, on obtiendra un permis d'amener contre vous, sous inculpation de meurtre avec préméditation. Et c'est la prison à perpétuité. D'un autre côté... Vous m'écoutez ?

— Je vous écoute. C'est quoi, l'autre côté ?

— Si, de votre propre gré, vous nous dites que quelqu'un vous a rapporté le revolver, mais que vous n'êtes au courant de rien, que vous ignorez qui est son propriétaire, l'usage qu'il en a fait, bref, *tout*, alors on se trouve une fois de plus en face d'un bel exemple de collaboration entre un citoyen et les forces de la police, dans un effort commun pour punir un crime brutal... Ça vous plaît ?

M. Sweety réfléchissait.
— Il sait pas, j' veux dire Clement, qu'elle a refilé le feu à quelqu'un. C'est bien ça ?
— Exact.
— Et où est-ce qu'il croit qu'il est ?
— Eh bien, elle a pas pu lui piquer... Vous êtes d'accord ?
— Ça, c'est sûr.
— Donc, c'est qu'il le lui a donné pour qu'elle le balance quelque part, et elle est venue vous le fourrer dans les bras. C'est pas aussi facile que ça en a l'air, de jeter un revolver dans la rivière. Et puis, peut-être qu'elle voulait venir chez vous, *de toute façon*... Ou encore, peut-être qu'elle vous a demandé *à vous* de le balancer. Ça, je vais pas vous poser la question. Mais si c'est le cas, c'est un sale coup qu'elle vous a fait. Il faut que vous vous trimbaliez le revolver en voiture ; quelqu'un le trouve, se souvient de vous avoir vu... C'est toujours comme ça que ça se passe ; vous le savez bien, vous n'êtes pas un débutant. Qui a envie de se mouiller avec un flingue louche ? Non, je ne vous reproche rien.
Raymond marqua une pause.
— Vous avez décidé ?
M. Sweety ne répondit pas.
— Où est le revolver ? Chez vous ?
— Dans la cave.
— Bon, on va le chercher.
— Il faut que j'appelle Anita pour qu'elle me remplace ici.
Raymond et Hunter échangèrent un regard. Sans rien dire, ils attendirent que M. Sweety, qui avait décroché le téléphone, au milieu du comptoir, revienne vers eux.
— Ça va mieux, maintenant ? demanda Raymond.
— Merde, laissa tomber M. Sweety.

Les deux policiers remontèrent dans la Plymouth bleue. Raymond tenait à la main un sac en papier marron.
— Le boulot, ça finit par vous crever...
— C'est pour ça qu'on te file tout ce pognon, rétorqua Hunter. Bon, on va où ?
— Voir Sandy. Non, dépose-moi chez elle. Apporte ça au labo. Mais, surtout, tu ne leur donnes pas de nom encore...
Hunter avait mis le contact. Il écrasait du pied l'accélérateur.
— Connerie de bagnole...

Raymond attendait patiemment. Il se repassait mentalement la conversation avec M. Sweety. Il était content.

— Je crois que j'ai laissé l'enveloppe sur le comptoir, dit-il soudain en tâtant la poche de sa veste. Ouais, je l'ai oubliée.

— T'en as besoin ?

— C'était une lettre d'Oral Roberts. Bof... Il me redonnera bien de ses nouvelles.

23

Franck Kochanski, inspecteur de police à Hamtramck, décrocha son téléphone.

— Où es-tu ? demanda-t-il à Toma.

— Toujours à l'hôpital.

— Le zigoto que tu cherches est au bar *Eagle*. On a repéré sa voiture dans le coin. Alors j'ai passé un coup de fil à Harry. « Ouais, qu'il m'a dit, il est en train de picoler et de passer des coups de téléphone. »

— A l'*Eagle* ? s'étonna Toma.

Que faisait-il encore à traîner dans ce quartier, à moins d'un kilomètre de l'appartement de Skender ?

— Oui, l'*Eagle*, rue Campan. T'en connais beaucoup, des *Eagle* ?

Toma appela immédiatement le bar.

— Ouais..., dit Harry. Non, attends, il empoche sa monnaie maintenant.

Toma rejoignit le reste des Lulgjaraj dans la salle réservée aux visiteurs de l'étage. Là, il déplia un plan de la ville, l'examina, puis le plaça sur une table basse. Les hommes de la famille le regardaient faire.

— Il se trouve quelque part là-dedans, dit-il. Mais, en général, il préfère le centre-ville. C'est là qu'il ira, je pense. S'il connaît son chemin, il prendra la rue Chrysler. Sinon, peut-être McDougall.

Son doigt suivait sur la carte la ligne qui figurait le boulevard East Grand.

— Mais il pourrait aussi passer par là. Puisqu'on ne connaît pas ses habitudes, il faut surveiller les trois endroits.

Le bip d'un émetteur réveilla Skender, quarante minutes plus tard. Toma lui toucha doucement le visage.

— Rendors-toi.

Dans la cabine téléphonique, Toma appela le standard puis il composa le numéro qu'on lui avait communiqué.

— Où est-il ?

— Dans une maison, place Van Dyke. On est au coin de Van Dyke et de Jefferson, répondit une voix, en albanais.

— Attendez-moi.

— Mais... s'il sort ?

— Tuez-le.

« Ils sont comme ça les nègres, disait Clement. Quand ils habitent dans les beaux quartiers, ils se figurent qu'ils ont le droit de répondre. » « Je sais qu'elle est en haut, que j'ai fait à votre p'tite négresse, j'ai appelé son bureau tellement de fois qu'ils ont fini par me dire qu'elle était chez elle. Alors, qu'est-ce que t'essayes de discuter, hein ? »

— Je ne reçois jamais mes clients chez moi. Venez à mon cabinet. Ou bien je vous rendrai visite à la prison municipale, ce qui est plus probable. Mais pas ici. Je regrette, Clement, je vous prie de partir.

— Mais vous faites rien que de lire un sacré bouquin. Vous êtes malade ? Moi, quand je vois des gens en robe de chambre en plein milieu de la journée, j' me dis ou bien ils bossent de nuit, ou bien c'est qu'y sont malades.

Carolyn retira ses pieds nus du tabouret. Elle ôta ses lunettes, les posa sur son livre ouvert sur ses genoux.

— Moi aussi, je vais discuter avec vous, si vous ne partez pas. Et je vous promets que vous perdrez la bataille.

Clement fit mine de ne pas avoir entendu. Il examinait la pièce, les peintures abstraites, le bar. Son regard passa du fauteuil en bambou où était assise Carolyn, vêtue d'un caftan à rayures beiges et blanches, au divan beige couvert de coussins bleus. Il fit quelques pas, s'y laissa tomber lourdement. Ses pieds chaussés de grosses bottes retombèrent pesamment sur le tapis persan. Après s'être débarrassé d'un coussin qui le gênait, derrière son dos, il s'installa confortablement.

— Vingt dieux, j' suis crevé...

Irritée, mais curieuse, Carolyn observait calmement l'homme affalé sur son divan. Il avait appuyé la tête contre le dossier moelleux, enfoncé le bout de ses doigts dans les poches de son pantalon moulant. Le Sauvage de l'Oklahoma... Venu au monde cinquante ou cent ans trop tard...

Un vrai gamin. Elle pouvait presque l'entendre se plaindre : « J' sais pas quoi faire ! » Du talon, il écrasait consciencieusement un pli du tapis.

— Le tapis que vous vous acharnez à massacrer a coûté quinze mille dollars, dit-elle tranquillement.

— Sans déconner ?

Clement baissa les yeux vers les volutes bleues du motif oriental.

— Sans déconner. Il vaut même bien plus que cela maintenant.

— Pourquoi vous le vendez pas ? Ça vous ferait un paquet de pognon !

— Parce que j'aime le regarder. Je ne l'ai pas acheté à titre de placement.

— Combien vous vous faites par an ?

— Suffisamment pour pouvoir vivre de la façon qui me plaît.

— Non, allez, combien vous vous faites ?

— En quoi cela vous intéresse ?

— Vous n'avez pas d'argent chez vous, hein ? Je parie que c'est tout en cartes Visa, fit Clement avec un sourire grimaçant. J' vous jure, ça commence à me ravager, ces machins-là.

— Devrais-je vous plaindre ?

— Non, mais vous pourriez me faire un p'tit chèque.

— Et pour quelle raison ?

— Vous savez bien pourquoi.

— Clement, c'est de l'extorsion pure et simple.

— Possible. Mais y'a cet espèce de gros lard de juge qu'est mort, et rien à en tirer... C'est-y pas une honte, que j' me suis dit. Et puis j'ai vu votre numéro de téléphone dans son carnet. J' me suis mis à cogiter...

Il avait pris un air vicieux.

— Comment ça se fait qu'il avait votre numéro ?

— Il m'a appelée une ou deux fois. Il voulait m'inviter à sortir avec lui.

— Bordel ! Vous avez dit non, j'espère !

— Oui, Clement, j'ai refusé.

— Vous êtes plus toute jeune, mais j' sais bien que vous pouvez vous payer mieux que ça !

— Clement, cette petite discussion vous coûte de l'argent. Si je me charge de votre cas, je demande deux mille cinq cents dollars d'avance. Si nous soutenons un procès, je vous prendrai encore sept mille cinq cents, payables d'avance toujours.

Clement fronçait les sourcils, écarquillait les yeux. Carolyn observait son manège sans se troubler. Maintenant, il secouait la tête.

— La première chose qu'on doit vous apprendre à l'école, à vous autres les avocats, c'est comment retourner les situations. Je monte chercher un p'tit chèque, et c'est vous qui me demandez dix mille dollars.

— Si j'accepte de vous représenter en justice.

— Pourquoi ? Merde, les poulets auront beau fouiner partout, ils arriveront jamais à rien. J' me casse, je vais à Tampa, en Floride, pour passer l'hiver. Mais y' me manque le p'tit magot sur lequel je comptais. La combine a pas marché... C'est pour ça que j'ai besoin que vous me fassiez un chèque.

Enfoncée dans son fauteuil, le bras sur l'accoudoir, la joue appuyée sur sa main, Carolyn étudiait Clement.

— Vous ne cesserez jamais de m'étonner.

— Ah ouais ?

— Vous êtes toujours tellement calme. Jamais d'éclat. Comment faites-vous ?

— J'ai toujours eu bon caractère. Allez chercher votre chéquier.

— Combien voulez-vous ? Deux cents ? Trois cents ?

Clement la regarda de travers.

— *Trois* cents ?

Il n'avait pas de chiffre particulier en tête, en arrivant. Lorsqu'elle avait mentionné dix mille dollars d'honoraires, il avait trouvé l'idée pas mauvaise. Un joli petit compte rond. Mais maintenant... Merde, elle le regardait comme s'il était le concierge, elle attendait qu'il se casse, comme ça elle pourrait retourner à son sacré bouquin. Il doubla la somme.

— Vingt mille, ça devrait aller, annonça-t-il.

Carolyn ne broncha pas.

— Vous aussi, vous êtes plutôt calme, dit Clement.

La jeune femme se leva, posa son livre sur le tabouret et s'approcha du bureau installé dans l'avancée des fenêtres. De profil, elle se pencha sur un chéquier de taille imposante, qui ressemblait à un gros classeur.

— Sachez bien que j'agis contre ma conscience, dit-elle tout en écrivant.

Clement était surpris. Il s'était attendu à ce qu'elle résiste. A travers son peignoir, il devinait la courbe de ses fesses. Après avoir arraché un chèque, elle traversa la pièce, passa devant lui sans ralentir, ni même le regarder ; elle ouvrit la porte qui donnait sur le palier. Derrière elle, Clement apercevait la rampe de l'escalier. Elle lui tendit le chèque.

— Tenez, prenez.

Il y avait quelque chose de pas normal. Clement observait la scène sans bouger.

Sortant sur le palier, Carolyn avança la main qui tenait le chèque par-dessus la rambarde.

— Très bien, alors vous le prendrez en sortant, dit-elle. Mais si vous l'acceptez, ne comptez plus jamais sur moi pour vous aider, au tribunal, ni ailleurs. C'est clair ?

Clement se leva pour la rejoindre. Les bras nus et pâles de la jeune femme contrastaient avec le tissu de son peignoir. Lorsqu'il fut devant elle, elle lui tendit le chèque.

— Y'a écrit deux cents, là.

— Marcie ? appela Carolyn en se penchant par-dessus la balustrade.

— J'ai dit vingt mille, coupa Clement. Vous avez oublié des zéros.

Elle se tourna vers lui.

— Même si j'étais en mesure de faire un chèque d'un tel montant, pensez-vous vraiment que je le ferais ?

— Un peu que j' le pense ! Vous me voyez embarquer votre tapis, ou vos bijoux ?

— C'est aberrant ! Il me suffit d'appeler la police !

— Bordel ! Y'en a vraiment qui ont la tête dure ! Où c' qu'est votre salle de bains ?

Carolyn hésita. Elle fit un geste vague de la main.

— Là-bas, la première porte...

Elle s'adossa à la balustrade pour laisser passer Clement. Lorsqu'il la prit par le bras, elle tenta de se dégager.

— Venez, on va aller faire un p'tit pipi tous les deux.

— Mais enfin...

Les doigts de Clement s'enfonçaient dans sa chair.

— Marcie ! appela-t-elle.

— Elle est enfermée dans la cuisine, fit-il en l'entraînant à sa suite. Je vous ai dit, elle essayait de discuter avec moi.

Quand les gens discutent (vous êtes avocate, hein ?) ou bien vous prouvez que vous avez raison, ou bien vous leur fermez la gueule. Pas vrai ?

Il la poussa dans la salle de bains, claqua la porte derrière eux.

— Tu parles d'une chiotte ! On serait au large pour faire la fête, là-dedans ! Vise un peu cette douche ! Moi, j'aime mieux les baignoires, mais on f'ra avec. Enlevez votre peignoir.

— Clement, commença Carolyn.

— Quoi ?

— Quelle que soit votre intention...

Elle essaya de l'amadouer avec un sourire.

— Puis-je vous donner un conseil ?

— Combien faut payer d'avance ?

— Non, c'est gratuit. Quelle que soit votre intention, répéta-t-elle lentement, réfléchissez sérieusement à votre situation présente.

Clement passa un doigt dans l'anneau de la fermeture à glissière de son caftan.

— Clement, soyez raisonnable, murmura-t-elle.

Il tira sur l'anneau. Le caftan s'ouvrit. Carolyn fit un geste pour le retenir. Clement lui emprisonna fermement les mains dans les siennes, et la força à écarter les bras. Il se tenait tout près d'elle, son visage contre le sien.

— Je suis bien loin de posséder une telle somme, reprit Carolyn, alors qu'est-ce que ça change ?

— Combien vous avez ?

— Allons regarder le chéquier.

— D'abord, vous enlevez le peignoir.

Il lui libéra les bras.

— Vraiment, Clement, réfléchissez un peu.

Il glissa les mains sous l'épais vêtement en coton, remonta vers sa poitrine ; Carolyn serra les coudes, mais elle soutint son regard.

— Qu'est-ce que vous croyez que je vais faire, hein ? Dites-moi.

De son pouce, il effleura le sein de la jeune femme.

— Hé là, mais ça dresse la tête ! Ça fait du bien, hein ? Quand on les caresse juste un peu, hein, comme ça ? C'est que ça devient dur comme des cailloux...

Sa main droite descendit légèrement le long du ventre de Carolyn. Ni l'un ni l'autre ne baissait les yeux.

— Et maintenant, qu'est-ce que je vais faire ?... Ça serait

pas vot' nombril, là ? Mais, dites donc, c'est qu'on a pas de p'tite culotte !

Sa voix était devenue épaisse.

— Dites-moi un peu ce que vous croyez que je vais vous faire, hein ? Allez...

Il retira sa main droite, l'amena à la hauteur de sa hanche, ferma le poing, émit un grognement, et, se haussant sur la pointe des pieds, frappa à l'estomac.

Lorsqu'il l'eut fait entrer de force dans la douche, les bras immobilisés derrière le dos, les épaules nues, Clement lui décocha une série de directs dans les reins et de crochets au corps. Il termina par une paire de gifles cinglantes, suivie d'une droite qui fit jaillir le sang de son nez et de sa bouche. Puis il ouvrit les robinets de la douche, et la maintint debout, les yeux vitreux, gémissante. Bon, elle devait manquer un peu d'air, maintenant. Il lui jeta une serviette et la ramena (la guida, plutôt) à son bureau devant la fenêtre. Le soleil de l'après-midi illuminait la pièce. Il ouvrit le chéquier.

— Bon, combien vous voulez me donner, maintenant ?

En passant devant les miroirs du premier étage, Clement adressa un petit sourire au caïd, qui le lui rendit, et sortit dans la rue, un chèque de six mille cinq cents dollars en poche. « Je crois bien que t'as tapé dans le mille, ce coup-ci, mon gars ! » se dit-il.

Vrai, il faisait beau dehors.

Il y avait un type debout de l'autre côté de la rue. Jeune ; costume noir.

Vrai qu' c'était bien plus simple que de se pointer avec un flingue. Y'avait qu'à bien choisir sa victime, lui expliquer pourquoi elle n'appellerait pas la police, et puis foncer dare-dare à la banque pour encaisser le chèque. Comme ça, si la banque téléphone pour vérifier, l'autre en est encore à voir la vie en noir. Tu parles qu'elle dirait que le chèque est bon ! Et plutôt deux fois qu'une !

Maintenant, il y avait trois types en train de discuter de l'autre côté de la rue.

Carolyn était sans doute en train de le regarder par la fenêtre. Bon sang, quelle baraque ! Bizarre, la haute grille tout autour, avec des pointes comme des lances et la cour en ciment avec un coin parking. Il n'y avait qu'une voiture dans la cour, la sienne, garée contre la grille. A travers, il pouvait voir les trois types ; costumes noirs, moustaches et cheveux sombres.

Bon Dieu, lui qui avait jamais vu d'Albanais de sa vie avant la veille ! Merde... Il se retint de courir vers la Montego, se força à marcher. Pas la peine de les exciter. Pas encore... D'abord, être à couvert derrière la voiture. Il ouvrirait la portière du conducteur, glisserait la main sous le siège...

Les trois types traversaient la rue. Des vrais croque-morts. Ils avaient déboutonné leurs vestes, passaient la main à l'intérieur...

Cinq longues enjambées séparaient encore Clement de sa voiture lorsque les hommes dégainèrent et ouvrirent le feu. Il en était soufflé. Comme ça, en pleine rue, trois mecs qu'il avait jamais vus, et qui lui tiraient dessus à travers la grille ! Tu crois qu'ils auraient au moins attendu un peu, histoire de vérifier s'y avait pas maldonne ? Non, ils le mitraillaient ; comme ça !

Clement ouvrit sa portière. Les vitres se couvrirent d'étoiles. Il extirpa le Browning de dessous le siège, se glissa vers l'arrière de la voiture. L'espace d'une seconde, il aperçut les trois qui traversaient l'allée. Bras tendu par-dessus le coffre, il pressa la détente ; le claquement sec de la détonation résonna dans ses oreilles. Les assaillants se dispersèrent en courant le long de l'allée, de l'autre côté de la grille. Clement sauta dans la Montego, fonça vers l'arrière de la maison. La chaîne qui barrait l'issue faillit le faire freiner. Qu'est-ce que t'as ? T'as peur d'abîmer ta nouvelle bagnole, ou quoi ?

Quand les maillons de la chaîne sautèrent, il ne sentit même pas la secousse. Pleins gaz, il fit le tour de la maison. La sortie approchait. Il fallait qu'il se décide. A gauche, du côté opposé aux gars en noir, ou à droite ? Il devrait alors repasser devant la façade de la maison, là où ils s'étaient regroupés. Qu'ils aillent se faire foutre ! Clement tourna brusquement à droite... Les costumes noirs étaient revenus dans la rue, ils regardaient dans sa direction. D'un même geste, ils le mirent en joue, tenant leurs revolvers à deux mains et à bout de bras. Des vrais pros. Avec la distance, les détonations faisaient un bruit de bouchon qui saute ; le pare-brise vola en éclats. Clement fonça sur le groupe. Ils se replièrent sur le trottoir. Il braqua, monta sur le trottoir, frôlant la grille. Deux des Albanais plongèrent dans l'allée, le troisième escalada un piquet de fer en un temps record. Il releva les jambes juste à temps ; Clement éraflait le côté de la Montego contre la grille. Puis il redressa, retrouva la chaussée. Quelques balles atteignirent encore l'arrière de sa voiture avant qu'il ne débouche sur Jefferson, et, sans s'arrêter, tourne au coin de la rue. Il s'enfila dans le flot des voitures qui roulaient vers l'ouest.

Et dire qu'il n'avait jamais entendu parler des Albanais !

24

Sandy était vêtue de son T-shirt Bert Parks et d'un jean délavé très moulant. Résignée, elle laissa entrer Raymond, qu'elle précéda dans le salon.

— Nous sommes seuls ? demanda-t-il.

— Vous voulez savoir si Clement est ici, c'est ça ? Non. Mais Del a téléphoné. Il rentre ce week-end.

— Ça perturbe vos plans ?

— Pas du tout. Je déménage, c'est tout.

— Clement a trouvé un autre logement ?

Sandy avait l'air épuisée. Sans répondre, elle fit quelques pas dans la pièce, puis se laissa tomber sur le divan, une jambe repliée sous elle.

— Fatiguée ?

— Ouais, un peu.

— Vous êtes rentrée tard hier soir, hein ?

— Assez tard, oui.

Raymond vint s'asseoir à l'autre bout du divan. Il jouait avec un bout de papier plié, le roulant entre ses doigts un peu comme on roule une cigarette.

— Moi aussi, je suis fatigué, dit-il. Vous voulez savoir tout ce que j'ai fait ?

— Pas spécialement, non.

— D'abord, je suis allé à Hutzel...

— C'est quoi, Hutzel ?

— Un hôpital.

Sandy mordillait machinalement l'ongle de son index gauche.

— J'ai vu Skender.

— Et après, où est-ce que vous êtes allé ?

— Skender est sous traction. Il sera estropié pour le restant de ses jours. Alors, ou bien vous me demandez : « Oh, que s'est-il passé ? », et on continue ce petit jeu pendant quelque temps, ou bien vous me dites ce que vous pensez de tout ça.

— Je ne suis pas obligée de vous parler. Donc, je ne dirai rien.

— Vous connaissez Skender... Un brave type qui ne ferait pas de mal à une mouche...

— Oh, ça suffit, interrompit Sandy en se levant d'un bond.

Debout devant la fenêtre, elle offrit ostensiblement son dos à Raymond, qui tournait et retournait le petit bout de papier entre ses doigts.

— Comment il l'appelait, Clement ? Cette tête de lard d'Albanais ?

Voyant qu'il n'obtenait pas de réponse, il ajouta :

— Vous n'auriez pas une machine à écrire, par hasard ? Enfin, Del Weems ?

Sandy haussa les épaules.

— Je ne sais pas.

Raymond se leva pour lui tendre le papier.

— Qu'est-ce que c'est ?

— Lisez.

Sandy déplia le feuillet.

SURPRISE...
TÊTE DE LARD ! ! !

Raymond récupéra le message. Il retourna s'asseoir sur le divan, tandis que Sandy continuait à lui tourner le dos.

— C'est ce qu'il m'a laissé avant de me tirer dessus avec une 22, dans mon appartement. La question que je me pose, c'est : « Est-ce qu'il a essayé de me tuer, ou bien est-ce qu'il a seulement fait ça pour s'amuser ? »

Sandy s'approcha de la télévision qui occupait un coin de la pièce, entre les deux fenêtres. Elle tourna plusieurs fois le bouton qui permettait de passer d'une chaîne à l'autre, dans un sens, dans l'autre, se planta quelques minutes devant l'écran, puis finit par reprendre sa place sur le divan, la jambe toujours repliée sous elle.

Bob Eubanks interrogeait un groupe de jeunes mariées : « A votre avis, avec quelle star de cinéma votre mari vous imaginerait-il monter au septième ciel ? »

— Et pour vous, demanda Raymond. Quel serait l'heureux élu ?

— Robert Redford, marmonna Sandy sans quitter l'écran des yeux.

L'une des femmes répondit aussi Robert Redford. Les trois autres dirent John Travolta.

— Un jour, raconta Sandy dont la voix avait retrouvé un peu de sa vivacité, il leur a demandé quel était l'endroit le plus original dans lequel elles s'étaient envoyées en l'air. Y'en a une qu'a répondu « dans le cul ». « Non, un lieu, je veux dire », il a fait. J'ai failli crever de rire.

— Vous avez déjà été mariée ?

— Ouais, une fois. Avec une espèce de merdeux qui venait de Bedford. Tout ce qu'il avait comme ambition, c'était d'aller habiter à Indianapolis.

— Vous avez dû en voir du pays !

— Ouais, mais pas des masses de coins qui valent la peine de s'en souvenir.

— Quel âge avez-vous ?

— Vingt-*trois* ans, lâcha-t-elle, une légère angoisse dans la voix.

— Je ne voudrais pas vous faire la morale, mais il serait peut-être temps de songer à changer de vie.

Sandy était toujours hypnotisée par la télévision.

— Regardez-moi ça, s'exclama-t-elle, les quatre maris ont répondu John Travolta ! Je comprends pas pourquoi elles rêvent toutes de John Travolta ! Moi, si j'avais le choix, vous savez qui je prendrais ?

— Vous l'avez déjà dit, Robert Redford.

— Non, lui c'était pour s'envoyer en l'air. Je veux dire le *bon*, celui avec qui ça m'embêterait pas de me marier, quoi.

— Qui est-ce ?

— Vous allez vous marrer... Gregory Peck.

— C'est vrai, ça ?

— Enfin, Gregory Peck jeune.

— Ouais, il me plaît bien à moi aussi.

— Il est tellement cool... D'ailleurs, puisqu'on parle de lui, la première fois que vous êtes venu, vous m'avez fait penser à lui. Ouais, il ressemble à Gregory Peck jeune, j' me suis dit.

Raymond sourit.

— Vous aviez fumé un joint ?

— Non, même pas. Il me restait plus que des tiges et des

graines. Mais je vous l'ai déjà dit, non ? On n'a pas discuté de ça, une fois ?

— Aujourd'hui, par contre, vous avez fumé.

— Un peu, ouais. Mais je sens rien. J'aimerais bien pourtant, nom de Dieu !

— Je comprends, fit Raymond. M. Sweety nous a dit, pour le flingue.

Sandy retrouva son air las.

— Ça recommence, soupira-t-elle.

— Un Walther P.38, modèle HP, fabriqué en Allemagne vers 1940. Il a sans doute fait la guerre, tué pas mal de monde. En tout cas, les victimes dont on est sûrs sont Alvin Guy et Adele Simpson. M. Sweety a dit que c'était vous qui le lui aviez donné.

— Il a dit ça ?

— C'est vrai, non ?

— J' sais pas... Moi qui trouvais que Gregory Peck était cool, vous auriez quelques leçons à lui donner... Je savais que ça allait venir... J'vais vous dire la vérité : je sais pas quoi faire. Vous croyez peut-être que je vais témoigner contre Clement ? Eh ben non, même s'il était paralysé de la tête aux pieds, et qu'on lui filait à bouffer à la petite cuiller. Même, et surtout, si vous me juriez que vous allez le coffrer pour toujours, comme la dernière fois, et que vous me faisiez tout un tas de promesses pour que je vous dise que le flingue était à lui... Je me souviens plus lesquelles c'était, la dernière fois, mais heureusement que j'ai rien dit, bordel, parce qu'il s'en est tiré. Pas vrai ?

— Cette fois-ci, il ne s'en tirera pas, fit Raymond, pas très convaincu lui-même.

— Fou-taises ! Vous en savez rien. C'était prouvé qu'il était dans c'te maison (c'était où, déjà, rue Sainte-Mary...) avec ce putain de flingue, et il s'en est tiré ! J' vous dis tout de suite, y'a qu'une seule possibilité que je témoigne contre Clement, c'est s'il était mort et enterré, avec un pieu planté dans le cœur. Et encore, je serais pas tranquille.

Elle se leva.

— Vous pouvez m'envoyer en taule si vous voulez, mais je jure que vous n'obtiendrez pas un seul mot.

De nouveau, elle alla se planter devant la fenêtre. Elle demeura immobile.

Bob Eubanks poursuivait le jeu : « Attention, maintenant, à vous messieurs. Entre tous vos amis, qui sera celui que votre femme trouvera le plus sexy ? Un prénom seulement, s'il vous plaît. »

Raymond se leva. « Jerry », songea-t-il tout en s'approchant de la télévision pour l'éteindre. Puis il rejoignit Sandy, absorbée dans sa contemplation de la ville. Des voitures débouchaient de l'autoroute, enfilaient Jefferson, la grande artère qui conduisait au centre commercial *Renaissance.* Les gens sortaient du travail, revenaient de réunion, se retrouvaient pour prendre un verre.

— Vous l'avez vu, aujourd'hui ?

— Non.

— Vous lui avez parlé ?

— Non.

— Pourquoi restez-vous avec lui ?

Il ne s'attendait pas à ce qu'elle réponde.

— Je ne sais pas, dit-elle d'une voix morne. Il est marrant.

— C'est un tueur.

— Ça, j'en sais rien, moi.

Elle esquissa un mouvement pour se détourner de la fenêtre. Raymond posa la main sur son épaule. Délicatement. Il sentait ses os fragiles, sous ses doigts.

— Vous aimeriez bien qu'il disparaisse, qu'il vous laisse tranquille. Vous ne prenez pas l'initiative parce que vous êtes morte de peur. Il vous terrifie. Alors vous faites semblant de le trouver normal, juste un peu déconneur, « marrant ». Il était marrant, quand il a cassé la jambe de Skender avec une barre de fer ?

— Je ne vous dirai rien, bordel de merde !

Elle tenta de se dégager, mais Raymond la maintint fermement face à la fenêtre.

— Tout ce que je veux, c'est que vous m'écoutiez, d'accord ?

Il relâcha un peu sa pression et ses mains se mirent à caresser doucement les épaules de la jeune fille ; puis elles s'immobilisèrent.

— Je me suis demandé pourquoi il n'avait pas tué Skender. Il a tué le juge, il a tué la femme qui l'accompagnait... Je ne crois pas que Clement ait préparé son coup à l'avance, ni que quelqu'un l'ait payé pour le faire. Il tue parce que ça fait partie du boulot. Ou bien quand il en a envie. Il est sorti du champ de courses avec l'intention de vous filer le train, à vous et Skender (je sais que vous vouliez tendre un piège à ce pauvre type), et le juge lui a mis des bâtons dans les roues, c'est tout. De fil en aiguille... Et que fait Clement quand il est en colère contre quelqu'un ? Il tue, ou bien, s'il éprouve un tant soit peu d'amitié ou de pitié, alors il casse seulement une jambe, histoire de donner un avertissement. Vous me suivez ?

— Vous répondez vous-même à votre propre question.

— Quelle question ?

— Si je vais témoigner contre lui. Puisque vous admettez qu'il tue lorsqu'il est en colère, ou bien qu'il casse une jambe, qu'est-ce que vous croyez qu'il me ferait, à moi ?

— Est-ce que je vous ai parlé de témoigner ?

Il s'arrêta.

— Y a-t-il autre chose qui vous retient ?

— *Autre* chose ! Vous blaguez, ou quoi ?

— Juste un petit détail, encore... Que se passera-t-il si, disons demain, avant qu'on le pince, Clement s'aperçoit que c'est Sweety qui a le revolver ?

— Oh non...

— Il voudra savoir comment Sweety l'a eu, non ?

Sandy se retourna. Elle levait vers lui des yeux où apparaissait une terreur sans nom.

— Pourquoi ? Il est pas obligé de savoir, n'est-ce pas ?

Raymond lui caressa de nouveau les épaules.

— Qu'est-ce que vous étiez censée faire du revolver ? Le balancer ?

— Le jeter dans la rivière.

Et voilà... Bon, d'accord, cet aveu ne pouvait en aucun cas lui servir de preuve, mais c'était quand même agréable de l'entendre. Tout ce qu'il avait déjà rassemblé, bout par bout, se vérifiait.

— Alors pourquoi l'avez-vous apporté à Sweety ?

— Parce que j'y allais, de toute façon.

Elle était redevenue la petite fille boudeuse et rancunière.

— Je pouvais pas me balader à pied sur le pont de Belle-Isle, non ? Qu'est-ce que j'aurais fait, si quelqu'un m'avait vue ? En plein milieu du pont...

— Je sais, c'est beaucoup moins facile que ça en a l'air. Qu'avez-vous dit à Sweety de faire du revolver ?

— N'importe quoi. Du moment qu'il le balançait.

— Il a réagi exactement comme vous. Alors il l'a caché dans sa cave. Mais vous n'aviez pas peur qu'il prévienne Clement ?

— Pourquoi il aurait fait ça ? Dites donc, reprit-elle en changeant de ton, je ne suis pas en train de faire une déposition... Vous vous croyez peut-être malin...

— Je vous le répète, je ne vous demande pas de moucharder. Mais pourquoi n'avez-vous pas dit à Clement que vous aviez apporté le revolver à Sweety ?

— Je sais pas, dit-elle avec lassitude. Il pique des colères, parfois... Il se fâche pour un rien.

Elle tourna la tête vers la fenêtre qui lui renvoyait son image. La nuit tombait au-dehors. Raymond ne disait rien. Le reflet dans la vitre vira soudain au blanc : Sandy avait fait volte-face.

— Hé là... Si vous savez où est le revolver, c'est que vous l'avez déjà pris, hein ? Vous l'avez pas laissé là-bas ?

— Sandy, l'endroit où se trouve le revolver ne change rien. En quoi ça vous concerne ?

— Mais il va s'apercevoir que...

— Attendez. J'ai une suggestion à vous faire. Avant qu'il ne découvre quoi que ce soit, dites-lui que vous avez apporté le revolver à Sweety. C'est tout. Et vous êtes tranquille.

— Mais je n'ai rien fait, rien du tout... Je voulais pas lui causer des ennuis... Je vous en prie, est-ce que vous lui expliquerez ?

Elle cherchait désespérément de l'aide. Pourtant, elle l'écouta d'une oreille distraite.

— Sandy, tout ce que vous avez à faire, c'est lui dire la vérité : vous avez donné le revolver à Sweety, parce que vous aviez peur. C'est vrai, non ? D'ailleurs, je trouve que c'était pas très malin de la part de Clement de vous le confier. Mais ça, c'est pas votre faute. Je comprends qu'il était peut-être un peu nerveux à ce moment-là. Quoi ? Il vient à peine de se lever, de lire dans le journal ce qui est arrivé au juge, et voilà qu'on cogne à sa porte ! Le revolver est en bas, dans la Buick, ou caché quelque part. Il faut absolument qu'il s'en débarrasse, et vite... Sandy ? Regardez-moi. Vous m'écoutez ?

— Oui.

— Pourquoi auriez-vous à en dire plus ? Vous voulez qu'il s'énerve, qu'il pique une colère, et qu'il se fâche ? Non. Vous n'avez qu'à lui dire : « Trésor, je crois que j'ai une petite confession à te faire. J'avais peur de jeter le revolver dans la rivière, alors je l'ai donné à ton copain, M. Sweety. » Et puis, vous pourriez ajouter par exemple, en le regardant d'un air innocent : « C'est pas grave, hein trésor ? » Et il répondrait : « Mais non, c'est rien. » Comme ça, tout simple. Mais je vous conseille de vous dépêcher. La prochaine fois que vous le verrez, par exemple, ou s'il vous téléphone.

— Aïe aïe aïe, gémit Sandy. J'ai l'impression que je suis vraiment dans la merde.

— Ça, quand on fréquente quelqu'un comme Clement, il faut bien s'attendre à ce que ça soit pas toujours du gâteau. Un conseil : moi, à votre place, je viderais mon sac, et puis je me casserais. Allez donc trouver votre Gregory Peck, quelque part. Vingt-trois ans, Sandy... On n'est jeune qu'une fois.

— Merci ! dit-elle.

— Par contre, si vous continuez à vous accrocher à Clement, il y a de fortes chances pour que vous ne vieillissiez pas beaucoup. Alors... c'est à vous de voir.

25

— Parfait, parfait ! jeta Raymond en entrant, tout le monde est à son poste !

Hunter était au téléphone. Il leva les yeux vers Raymond, lui fit signe d'approcher, mais celui-ci se dirigeait déjà vers la cafetière.

Norb Bryl était au téléphone. Il disait que non, ce n'était pas les pneus, c'était la direction. « Quand on a payé trois mille quatre cents dollars pour une voiture, on peut quand même exiger qu'elle aille droit, vrai ou faux ? »

Wendell Robinson était au téléphone. Il parlait d'une voix calme, où perçait cependant un accent douloureux. Bon, les douches froides calmaient l'envie pendant quelque temps... Mais si l'autre vieux croûton ne reprenait pas un travail de nuit d'ici peu, alors c'est que peut-être le destin en avait décidé autrement.

Maureen Downey était au téléphone. Elle terminait sa communication. « Bon, d'accord, très bien... » Après avoir raccroché, elle pivota sur son fauteuil pour faire face à Raymond.

— Il y a eu des coups de feu, cet après-midi, à trois heures, place Van Dyke.

Raymond cessa de verser le café.

— C'est la Surveillance qui nous a prévenus. Je viens de téléphoner au commissariat du quartier. Le sergent m'a lu le rapport : trois hommes non identifiés, costumes sombres, cheveux sombres, ont tiré sur un homme non identifié au volant d'une voiture bleu clair, modèle ancien, peut-être une Ford ou une Lincoln.

— Ou une Mercury Montego. Il a riposté ?

— On pense que oui. Mais aucune blessure n'a été rapportée. La Surveillance fait le tour des hôpitaux.

— Qui a appelé la police ?

— Une femme occupant la maison à côté du numéro 201. C'est là qu'ont eu lieu les coups de feu, dans l'allée et dans la rue. Et nous savons qui habite au 201, n'est-ce pas ?

— Les gars ont parlé à Carolyn Wilder ?

— Non, ils n'ont vu que la bonne. Elle a soutenu que Mme Wilder n'était pas chez elle. Mais après...

Hunter avait raccroché.

— Ça y est, on le tient ! s'exclama-t-il. C'est le revolver, les mecs, ça ne fait pas un pli ! Je vais le chercher.

Maureen attendait.

— Pardon, qu'est-ce que tu disais ? demanda Raymond.

— Carolyn Wilder a téléphoné il y a à peu près une heure. Elle veut que tu la rappelles.

— Très bien, dit-il en s'éloignant avec sa tasse de café.

— Elle est chez elle, ajouta Maureen.

Raymond s'arrêta net. Cette Maureen, elle savait vraiment réserver le bon morceau pour la fin !

— Tu lui as demandé si elle avait entendu les coups de feu ?

— Non, mais je parie que oui.

Au bureau du lieutenant-pas-encore-officiellement-nommé, Raymond composa le numéro de Carolyn.

— Il paraît qu'il y a eu de l'action, dans ton coin ?

— Je voudrais te voir.

— Bon, je pars dans cinq minutes. Ta voix a changé.

— Ça ne m'étonne pas !

Raymond était intrigué, à présent. La jeune femme parlait d'une voix grave, plus froide que jamais.

— Marcie a vu ce qui s'est passé ?

— Non, mais moi si.

Raymond ne disait rien.

— Qui sont-ils ? demanda Carolyn.

Que lui répondre ?

— Clement a mal choisi sa victime, cette fois-ci. Le piège s'est retourné contre lui. Pourquoi ? tu veux déposer une plainte en son nom ?

— Je voudrais bien rire, mais ma bouche me fait mal. Avant que tout ça ne tourne à la farce, tu veux venir en discuter ici ?

Raymond raccrocha, de plus en plus perplexe.

— C'est quoi exactement, une farce ? demanda-t-il à Norb

Bryl qui, debout maintenant, enfonçait une poignée de stylos dans la poche de sa chemise.

— C'est une bagnole d'occasion qui tire à gauche au lieu d'aller tout droit. Si tu n'as plus besoin de moi, j'ai à faire.

La porte se referma derrière lui. Puis se rouvrit pour livrer passage à Hunter. Il avait en main un sac en papier marron. A en juger par les taches de graisse, il aurait pu s'agir d'un sac de beignets. L'air réjoui, il le déposa sur le bureau du lieutenant.

— Pas d'empreintes. Mais ça fait pas un pli, c'est bien l'engin qui a fait le coup.

Raymond parcourut la pièce du regard.

— Il est tard, Maureen, si tu veux partir, tu peux. Sinon, ferme la porte à clef, d'accord ?

— Et moi alors ? demanda Wendell.

— Même chose.

— Merde, tu as piqué sa curiosité, maintenant. Il a peur de rater quelque chose, jeta Hunter.

Après avoir hésité, Maureen alla s'asseoir au bureau de Bryl.

— Pourquoi tu me demandes pas si je veux me casser, moi ? fit Hunter.

— Parce que t'es déjà mouillé.

Il s'adressa à Maureen et à Wendell.

— On a pris le flingue à ce type, Sweety, sans avoir de mandat de perquisition. Qu'on se fasse piéger là-dessus, c'est pas ça qui me tracasse pour le moment. Je voulais juste savoir, sans me compliquer la vie avec les juges et les paperasses, si c'était vraiment le bon. O.K., on a trouvé que c'était bien celui-là. Pas de doute, notre petit copain au labo l'a vérifié. On a donc l'arme du crime. Maintenant... Si on l'apporte au procureur, il dira : « Très bien, mais comment prouvez-vous que c'est bien le revolver de Mansell ? » On lui répondra qu'avec un peu de persuasion, on arrivera à faire avouer un type du nom de Sweety. « Qui est Sweety ? » demandera le procureur. « Un gars qui était en cheville avec Clement autrefois, qui a fait de la taule et qui deale de la came maintenant. » « C'est ça, mon témoin ? » « Ben, on ne choisit pas les gens qu'on rencontre dans notre boulot... C'est tout ce qu'on a à notre disposition... »

— Sandy ? suggéra Maureen.

— Exact, on a aussi Sandy. Mais même si on lui arrachait tous les ongles, ou ce qui lui en reste, elle ne cracherait pas un mot. Pas par loyauté, mais parce que Clement lui fout une trouille bleue.

— Et si je lui parlais ? reprit Maureen.

— Bien sûr, pourquoi pas ? Toutes les suggestions sont permises. Bon, résumons les éléments qu'on a en main : on a un bras, qui pourrait être celui de Clement, passé par la portière d'une voiture, à Hazel Park ; sans doute la même voiture, qu'on retrouve sur les lieux du meurtre. Sandy a les clefs. Disons qu'elle les a données à Clement. Là, Mme Wilder, l'avocat de Clement, intervient : « Ah oui ? Prouvez-le. » D'autre part, on sait que Clement a pris part à un crime, il y a trois ans de ça, et que les balles extraites du mur provenaient d'un Walther P.38...

Raymond souleva le sac en papier marron.

— Le voici. C'est l'arme du crime. Mais comment allons-nous démontrer qu'il lui appartient ?

Il y eut un silence.

— Oh..., souffla Maureen. Je crois que je devine ce que tu vas faire.

Nouveau silence. A la lumière des lampes fluorescentes, dans un bureau de police démodé, quatre personnes complotaient.

— Je vois pas, grommela Hunter.

— Tu veux que je parle à mon copain, M. Sweety ? demanda Wendell.

— Non, c'est moi qui ai pris la responsabilité, répondit Raymond. Si quelqu'un doit recevoir le blâme, c'est moi. Mais on ne perd rien à mettre sur pied une petite combine. Toi, Wendell, tu connais assez bien Toma et les Albanais. Va bavarder avec lui. Dis-lui par exemple qu'on songe à le coincer pour la tentative de cet après-midi, et qu'on le tient à l'œil. Bref, qu'il a intérêt à pas faire de conneries pendant quelques jours. Maureen, si tu veux tenter le coup avec Sandy, vas-y. Je crois qu'elle aimerait bien parler à quelqu'un. Qui sait...

Le téléphone sonna.

— Jerry, vois si on peut coller la Surveillance sur Sweety, vingt-quatre heures sur vingt-quatre.

Raymond posa sa main sur l'appareil.

— Arrange-toi pour placer un ou deux types dans le bar. S'ils peuvent se tenir tranquilles.

Le téléphone sonnait toujours. Raymond décrocha.

— Septième brigade, lieutenant Cruz, j'écoute ?

Il reconnut la voix de Clement.

— Dites donc, l'ami, j'ai une p'tite plainte à déposer, moi...

Y'a une bande de connards complètement cinglés qui essayent de me descendre.

Raymond se gara rue Saint-Antoine, devant le bar *Piper's Alley*, à quelques centaines de mètres du Q.G. de la police. Il entra par la cuisine. Charles Meyer, le propriétaire, le lorgna d'un air attristé.

— Raymond, dit-il, c'est un restaurant, ici. T'as pas le droit d'apporter ton déjeuner.

Raymond sourit, fit un geste vague de la main, et continua son chemin. Parvenu dans la salle, il resta un moment debout à côté d'un bouquet de fougères en plastique. A la lumière des lampes en verre coloré, il examina la foule des clients venus prendre un verre après le travail, quelques-uns attablés, la plupart agglutinés autour du bar, des hommes et des femmes, les uns se remettant de leur journée, les autres se préparant pour la soirée. Aucun ne remarqua le policier qui, un sac en papier à la main, se demandait quel effet ça ferait s'il allait retrouver Clement (assis là-bas, à côté d'une des fenêtres donnant sur la rue, vêtu de sa veste en jean) et s'il posait le sac sur la table... « Hé, Clement, j'ai quelque chose pour toi... » Et au moment où Clement glisserait sa main dans le sac, il dirait, assez fort pour que toutes les conversations s'arrêtent : « LÂCHE TON ARME ! », puis dégainerait le colt qu'il portait sous sa veste de sport, et le descendrait.

— Tiens, le voilà, fit Clement sur un ton gouailleur. Vous avez la tête de quelqu'un qui est en manque. Vous en voyez une qui vous plaît ?

Raymond s'assit. Il posa le sac en papier à un bout de la table. Un verre placé devant lui, Clement regardait tranquillement alentour. Avec sa veste en jean, on aurait dit un marin tout juste débarqué d'un cargo, ou un routier qui a terminé sa journée.

— Tous ces gonzes y viennent ici pour chasser la femelle, j' vous dis, moi. Ils sont tous là avec leurs badges et leurs p'tites étiquettes de conférence, mais j' vous jure, ça zyeute sec. Y'a quoi, dans le sac ? Vot' déjeuner ?

— Oui. Tu me dois soixante-dix-huit dollars, pour le remplacement de ma fenêtre.

— Quelqu'un vous a tiré dessus ? Entre nous, l'ami, moi aussi y'a des gens qui me canardent. Quand j'ai vu ces trois gars traverser la rue, j' me suis dit : « Regarde-moi ça, c'est des croque-morts ou quoi ? » Costumes noirs et tout. C' que je comprends pas, c'est comment ça se fait que j'ai jamais entendu parler des Albanais.

— Eux non plus, ils n'ont jamais entendu parler de toi. Mais maintenant, c'est à qui t'attrapera le premier. Regardes-y à deux fois, mais je crois bien que tu vivras plus longtemps à Jackson que dans les rues.

Clement le regarda de travers.

— Vous laissez ces gaillards-là en liberté ? Des gens qui tirent sur tout le monde comme ça ?

— Si tu veux déposer une plainte, passe au commissariat. Vois-tu, nous, on s'occupe pas des simples agressions. Comme ce que tu as fait à Skender, par exemple.

— Hé bé, vous perdez pas le nord, vous...

— Skender devrait porter plainte. Mais ils préfèrent se débrouiller tout seuls.

— Et vous les laissez faire ?

— S'il n'a pas signalé que tu lui as cassé la jambe, on n'en sait rien, nous. Pas vrai ?

— Ça alors, marmonna Clement en secouant la tête. Vous buvez quelque chose ?

— Non, j'ai encore un petit travail à faire.

Clement vida son verre d'un trait. Il chercha des yeux la serveuse. Raymond l'observait. Ce n'était pas exactement le Clement désinvolte, relax, ce soir. Se tournant à moitié sur sa chaise, il posa son bras sur la table. Sa main n'était qu'à une vingtaine de centimètres du sac en papier; de l'autre, il esquissa un geste vague.

— Si j' vous ai appelé, c'est parce que je veux que vous compreniez quelque chose. Je quitte la ville. C'est pas à cause des Albanais. C'est pas à cause de vous non plus. Mais j'ai aucune raison de rester ici à me faire chier. Alors je mets les voiles.

— Quand ? Ce soir ?

— C'est ce que je comptais faire. J' vous aurais envoyé une carte postale de Cincinnati. Mais j'ai eu un petit emmerde, c't' après-midi. Quand j' me suis pointé à la banque, c'était fermé. J'en ai fait trois, toutes fermées. Je veux seulement que vous sachiez, l'ami, j' me sauve pas, comme vous pourriez croire. Mais j' vais pas attendre que vous ayez fini vos magouilles de poulagas. Et je vais pas non plus échanger des paroles pas aimables avec des gens que je sais même pas qui c'est, sauf qu'y portent des costumes noirs. Au fait, pourquoi qu'y se fringuent comme ça ?

— Un des leurs vient de mourir.

— Ouais, et y'en a d'autres qui vont clamser si je reste dans le coin. Alors vous avez qu'à leur dire, c'est tout aussi bien que j' me casse. Mais j' veux pas qu'y croient que c'est à cause d'eux que j' me taille, parce que c'est pas vrai. Merde quoi, qu'est-ce que j'ai à y gagner, moi, à fréquenter ces gens-là ?

La serveuse se penchait pour prendre son verre.

— La même chose, chou.

Puis, voyant qu'elle se tournait vers Raymond :

— Non, lui y veut rien. C'est un pur et dur, fit-il en souriant à la jeune fille. Comme Jack Armstrong. J' parie qu'elle sait même pas de qui je cause, reprit-il à l'adresse de Raymond.

— Sandy part avec toi ?

— J' sais pas. Sans doute. Elle est mignonne, hein ? Sauf quand elle se défonce. J' lui dis tout le temps : « Arrête de fumer c'te saloperie. T'as qu'à boire de l'alcool, comme tout le monde. »

— Il y a des gens... On ne peut rien leur dire.

— Ça, c'est vrai.

— Enfin, tant qu'eux ne disent rien non plus sur toi...

Raymond haussa les épaules et laissa sa phrase en suspens. Clement le regardait fixement.

Raymond prit conscience du bruit qui régnait dans la salle. C'était bizarre... Quand on y prêtait attention, c'était assourdissant. Tout ce monde qui se donnait du mal pour s'amuser...

— Bon, il faut que je file, jeta-t-il.

Clement le dévisageait toujours.

— Vous voulez me faire croire que vous savez quelque chose que j' suis pas au courant.

— Je te trouve nerveux, ce soir. Qu'est-ce qui te tracasse ? Tant que tu fais confiance à tes amis...

Le regard de Clement tomba sur le sac en papier.

— C'est pas vot' déjeuner, ça, hein ?

— Non. Ce n'est pas non plus un sac de beignets. Tu le veux ?

— Hé là, fit Clement avec un sourire crispé. On fait le p'tit rusé, hein ? Vous voulez m' refiler le flingue d'un autre ou quoi ?

Raymond se levait de table. L'expression de Clement changea brusquement.

— Où vous allez ? J' suis pas encore fini.

— Oh si, tu es fini.

Raymond emporta le sac avec lui. Dans la cuisine, au milieu du vacarme ambiant, il décrocha le téléphone.

— Bouge pas, Hunter, j'arrive.

Quelques minutes plus tard, il entrait dans le bureau de la brigade.

— Maureen est déjà partie ?

— Ouais, juste après toi. J'ai mis la Surveillance sur la maison de Sweety. Je leur ai dit de coller deux types au bar, et le reste planqué dans les parages.

— Parfait.

Raymond ouvrit son carnet d'adresses à la page S.

— Clement m'a annoncé qu'il quittait la ville demain, dit-il tout en composant un numéro.

— On ferait mieux d'arranger notre petite surprise ce soir, alors, dit Hunter.

— Oui, on devrait essayer. Sandy ? dit-il au téléphone, lieutenant Cruz à l'appareil. Comment allez-vous ? Ouais, je sais, y'a des jours comme ça. Maureen est là ? Vous bavardez tranquillement, hein ? Passez-la-moi, une minute.

Il couvrit le récepteur de sa main.

— Elle dit qu'elle a passé une sale journée, souffla-t-il à Hunter.

— Maureen ? reprit-il. Ecoute... Dis-lui que Clement va sans doute appeler, ou se pointer chez elle d'une minute à l'autre. Tu ferais mieux de dégager. Explique à Sandy... Elle n'a qu'à dire que nous sommes venus l'interroger à propos du revolver. Si elle veut, elle peut même baratiner qu'on l'a menacée, qu'on lui a foutu la trouille. Mais, surtout, qu'elle cherche pas à compliquer. Elle a apporté le flingue chez Sweety, point final. C'est tout ce qu'elle sait. Hein ? Elle a pleuré... Conseille-lui donc de garder quelques larmes pour Clement, au cas où... Hé, Maureen ? Dis-lui que t'aimerais bien avoir encore vingt-trois ans.

— Grand cœur ! ironisa Hunter.

— Je la comprends un peu, cette petite... Mais je ne me fais pas trop de soucis pour elle. Si après trois, non, quatre ans avec Clement, elle est toujours entière...

— ... C'est qu'elle a des couilles au cul !

— Le seul truc qui me tracasse en ce moment... Tu vois, je me sens un peu responsable... Tu as le numéro de Sweety ?

Hunter composa le numéro sur son poste. Il resta à l'écouteur. Raymond décrocha le sien, s'enfonça dans sa chaise, et croisa ses pieds chaussés de mocassins sur un coin du bureau en métal gris.

— Monsieur Sweety ? Comment allez-vous ? C'est le lieutenant Cruz. Je me demandais... Est-ce que Clement vous a déjà appelé ?

— Clement ? *Quoi ?*

Raymond et Hunter écartèrent ensemble leurs deux récepteurs, et échangèrent une grimace de douleur.

— Où êtes-vous ? Chez vous, ou au boulot ?

— Chez moi. Comment ça, est-ce que Clement m'a appelé ?

— Anita travaille ?

— Oui, elle est au bar.

— Vous devriez aller lui donner un coup de main.

— Pourquoi ?

— Je crois que vous allez avoir du monde, ce soir.

Il y eut un silence, à l'autre bout du fil.

— Pourquoi est-ce que Clement va m'appeler ? reprit M. Sweety.

— Dites-lui que vous êtes content qu'il téléphone, que vous aviez l'intention de lui faire signe. Que vous aviez envie de le voir.

— Moi, je veux le voir ? Pour quoi faire ?

— Pour lui rendre son revolver.

— Mais c'est vous qui l'avez, le revolver ! Je vous l'ai donné !

Bouche grande ouverte, yeux écarquillés, Hunter mimait l'effarement de M. Sweety.

— Non, vous nous avez *dit* qu'il était dans la cave, répliqua gravement Raymond, imperturbable. Il n'y a pas de raison qu'il ait bougé.

De nouveau, M. Sweety resta silencieux. Puis :

— Je veux rien avoir à faire avec ce mec-là. Vous êtes en train de me pigeonner. Je vois d'ici l'avalanche de merde qui va me tomber dessus.

— Mais non, vous n'avez rien à craindre. Je vous en donne ma parole. Lorsqu'il viendra récupérer le flingue, montrez-lui où il est. Tiens, mieux, dites-lui d'aller le prendre lui-même. Vous avez du travail. Hein, qu'est-ce que vous en dites de ça ?

Silence.

— Il faudra bien que je lui ouvre la porte.

— Pas si vous mettez la clef sous le paillasson.

Raymond ne put se retenir de sourire à Hunter. Ils étaient comme deux gosses qui ont fait un mauvais coup.

A moins de deux cents mètres du 1300 de la rue Beaubien, au bar *Athens* situé sur l'avenue Monroe, en plein centre du quartier grec, on parlait beaucoup de faits héroïques, de coups en douce... Des ruses de vieux pros. Est-ce que tous ces héros, non, plutôt ces filous, s'étaient autrefois imaginé que vingt ans plus tard (lorsqu'ils seraient devenus des vieux de la vieille) ils raconteraient à de futurs pros béats d'admiration (« mais que ça reste entre nous... ») : « Bon, alors, il persuade le gars de lui filer le revolver, il l'apporte aux experts en balistique pour qu'ils vérifient qu'il s'agit bien de l'arme du crime, et puis... C'est là la ruse. Il le *remet* dans la cave du mec, dans la chaudière, exactement au même endroit, et il dit au gars de téléphoner au meurtrier pour qu'il vienne chercher son flingue, parce qu'il en veut pas chez lui. Tu me suis ? Il faut absolument qu'il pince le tueur avec l'arme, sinon il ne le pince pas du tout. »

Autour de la table, les futurs pros attendraient la suite, les yeux brillants, sourire aux lèvres. Ouais... ?

« Et après ? » se demanda Raymond, assis dans la Plymouth bleue que conduisait Hunter. « Bon, continue... »

Eh bien, voilà comment ça devrait se passer : on assure la surveillance de la maison de M. Sweety, Mansell entre, ressort avec le revolver dans sa poche, on braque les projecteurs sur lui, et c'est terminé. Ou bien, s'il reste à l'intérieur, on lui ordonne de sortir. Il finit par obéir après avoir caché le revolver quelque part, ou l'avoir mis en pièces à coups de marteau... De toute façon, on le chope avec le revolver, et l'enquête aboutit.

Mais peut-être aussi que l'affaire tournerait autrement... On raconterait alors plus tard au bar *Athens* que, pour une raison quelconque, la Surveillance doit quitter les lieux (il pouvait toujours y avoir une raison). Clement sort avec le flingue, le chargeur plein, comme quand on l'avait trouvé ; sur le perron, il s'arrête net en entendant : « Ça va, c'est assez loin ! » Il aperçoit alors Raymond Cruz, la veste ouverte, les bras le long du corps...

« T'es bizarre, toi », se dit Raymond.

Mais il continua à imaginer la scène, tandis que la voiture roulait vers l'est... « Ça va, c'est assez loin. » Que répondrait

Clement ? Oui, parce qu'il dirait quelque chose, Clement, et alors lui répliquerait quelques mots brefs et précis, et puis...

— On entre tous les deux ? demanda Hunter.

Raymond tenait le sac en papier sur ses genoux.

— Non, c'est moi qui y vais.

Après quelques secondes, il ajouta :

— Il a un autre flingue. S'il a tiré sur les Albanais, c'est qu'il a trouvé un autre feu quelque part.

26

Maureen observait tranquillement Sandy qui, vêtue de son T-shirt Bert Parks, faisait les cent pas dans le salon, tout en déchirant un Kleenex, dont elle semait les minuscules fragments au hasard de sa course. Peut-être ressentait-elle le besoin de s'éreinter avant de s'asseoir, songeait Maureen.

— Vous faites du jogging ? demanda-t-elle.

Sandy s'arrêta. Elle dévisagea la femme-inspecteur, assise sur le divan dans son petit blazer bleu marine d'institutrice et sa jupe grise. On aurait dit une bonne sœur en civil, mis à part le revolver que, Sandy en était convaincue, elle portait dans son vieux sac à main marron.

— Vous blaguez ou quoi ? Du jogging ! Non. Je ne fais pas de voile non plus, je ne joue pas au golf. C'est pas vrai, moi, faire du jogging !

— Vous êtes si mince... Je pensais que peut-être vous faisiez de l'exercice.

— J'arrête pas de courir aux toilettes toutes les cinq minutes depuis que votre copain le lieutenant Cruz est parti. Ça me suffit amplement, question exercice, j' vous jure.

Elle marcha jusqu'au coin-salle à manger, revint au bureau du salon. Elle repartait déjà, lorsqu'elle se tourna soudain vers Maureen.

— Comment vous lui diriez, vous ? demanda-t-elle.

— Exactement comme l'a suggéré le lieutenant Cruz. Vous avez donné le revolver à M. Sweety parce que vous aviez peur de le jeter vous-même.

— C'est vrai.

— Alors vous n'avez pas à vous inquiéter.

— Il va me demander si les flics sont venus, j'en suis sûre.

— Eh bien, vous direz que oui ; je vous ai demandé si vous aviez remarqué un revolver qui appartiendrait à Clement Mansell, ici ou ailleurs, et vous m'avez répondu que non. C'est tout ce que vous avez à dire. Ne compliquez pas.

— Vous le connaissez pas !

— J'ai bien dû en rencontrer quelques-uns comme lui, pourtant.

Sandy s'approcha de la fenêtre. Elle contempla la rivière, dans le lointain.

— Il y en a un qui continue à m'écrire depuis Jackson (c'est là qu'on l'a envoyé) et il dit que nous sommes amis par correspondance, continua Maureen. Je crois qu'il veut me voir, quand il sortira, d'ici sept ans.

— Clement n'est allé en prison qu'une fois. Oh, il a fait plein de petits séjours au poste, pour la forme, mais il n'a passé qu'un an en prison pour de bon. Il dit qu'il n'y retournera jamais, et je le crois. Lui alors, quand il décide quelque chose... ! Mais il est tellement bizarre, on sait jamais à quoi s'attendre avec lui. Un jour, on était allé écouter les Allman Brothers qui donnaient un concert en plein air. Tout le monde buvait, roulait des joints, faisait les fous, quoi. Y'a un mec qui se retourne pour offrir une taffe à Clement... Clement a envoyé valdinguer le joint, comme s'il était le père du mec, carrément, et il lui a lancé un de ces regards ! Et, pendant tout le temps que les Allman Brothers ont joué, Clement était là à faire de grands gestes des bras pour chasser la fumée. Parfois, j' vous jure, on dirait un p'tit vieux.

— Vous l'aimez beaucoup, non ?

— Merde, parce que j'ai peur de ce qui m'arriverait, sinon.

Elle resta la bouche ouverte et les yeux dans le vague pendant quelques secondes ; puis elle esquissa un sourire.

— Il est mignon, quand même... Au lit, il est pas possible. Je crois bien que c'est comme ça qu'il a eu son surnom, le Sauvage, vous savez ? Je vous jure, quand il bande, il faudrait la frapper avec un bâton pour la faire redescendre, comme il dit.

Le sourire de Sandy s'élargit, ses yeux se posèrent sur Maureen.

— Pourquoi vous rigolez ?

— Moi aussi, j'ai quelques histoires dans ce genre-là. J'ai travaillé aux Mœurs pendant neuf ans. Je crois bien que j'ai vu tout ce qu'il y avait à voir. Enfin, des trucs marrants, quoi.

— Oh la la, ça devait être super-intéressant. Des violeurs, des dégénérés et tout ça ? Y'avait des pervers aussi ?

— Oui, beaucoup de pervers. Souvent des gens que vous n'auriez jamais soupçonnés.

— C'est toujours comme ça, non ? Des instituteurs, par exemple, des prêtres...

— Oui. Pas mal de satyres, aussi.

— Ah ouais ? Des mecs avec des imperméables et rien en dessous ?

— Les vrais pros découpent le devant de leur pantalon. Je me rappelle une fois... On nous a signalé un viol, juste dans le bâtiment de la mairie. Une des secrétaires avait été entraînée de force dans l'escalier, puis violée. Ses vêtements étaient tout déchirés. Quand on lui a demandé de nous décrire le type (il avait peut-être un signe distinctif qui permettait de le reconnaître), la fille a réfléchi : « Oui, maintenant que j'y pense, il avait un tout petit pénis. »

— C'est pas vrai ! Un violeur, dit Sandy d'un air triste. Vous l'avez attrapé ?

— On a rassemblé des suspects, des types qu'on avait déjà pincés plusieurs fois. Mais d'abord, il fallait qu'on les examine, si vous voyez ce que je veux dire.

Le visage de Sandy s'éclaira.

— Ouais, pour voir lequel avait un tout petit pénis.

Fronçant les sourcils, elle ajouta :

— C'est grand comment, un tout petit pénis ?

— Attendez. Alors, chaque fois qu'un suspect entrait, les types de la Brigade lui ordonnaient de baisser son pantalon.

— Vous en avez vu, vous ?

— Juste quelques-uns. Au cours de l'enquête, on a passé en revue cent cinquante-sept pénis.

— Oh là ! jeta Sandy, qui trouvait visiblement le chiffre impressionnant. Eh ben...

Elle parut tout à coup perplexe.

— Hé, minute... la fille a dit que la queue du mec était minuscule, mais par rapport à *quoi* ? P't'être que son homme à elle il avait une trique qui lui pendait jusqu'aux genoux, pas vrai ?

— On y a pensé. Effectivement, par rapport à quoi ? On n'a jamais attrapé le type.

— Ça alors, c'est pas rien ! Au moins, vous devez rencontrer plein de gens intéressants.

— Ça, on ne s'ennuie pas.

Seule de nouveau, Sandy retrouva le silence écrasant. Un crépuscule lugubre envahissait le ciel. C'était le meilleur moment de la journée pour la déprime. Elle réussit à pleurer pendant quelques minutes, déchira un autre Kleenex, partit en gémissant dans la chambre, où elle se planta devant le miroir. Là, elle étudia son image. Des yeux gonflés la regardaient au-dessus du large sourire de Bert Parks.

— Pauvre petite, dit-elle à voix haute.

Abaissant sa lèvre inférieure, elle parvint à faire trembler son menton. Elle examina l'expression. Puis elle entrouvrit légèrement les lèvres, ouvrit tout grands les yeux, feignant une surprise innocente.

— Mais je ne savais pas, moi. Je croyais même que tu serais content. Mais non, t'es toujours tellement méchant...

Voilà, boudeuse... Elle contempla ses épaules voûtées, sa mine pitoyable. Elle resta longtemps ainsi, immobile.

— Eh merde ! jeta-t-elle soudain.

Elle ôta son T-shirt et son jean. Elle reprit la pose, poitrine nue devant la glace, enfonça ses pouces dans l'étroit élastique de sa culotte blanche, se déhancha... De profil, le menton sur l'épaule, les paupières langoureuses... De face encore, pieds nus écartés, mains sur les hanches...

— Comment tu vas, Sandy Stanton ?

La tête légèrement inclinée :

— Ouais, c'est bien ce que je pensais. Dis donc, tu sais que t'as un corps de déesse ? C'est vrai, quoi, y'a qu'à te regarder pour voir que t'es une sacrée fonceuse. Regarde-toi un peu ! T'es vraiment une nana super, tu le sais, ça? Ouais, je sais. Alors c'est quoi ton problème? Quel problème? J'ai pas de problème, moi, t'as un problème, toi ?

— Non, mais tu te crois où, dans un camp de nudistes ? lâcha Clement en entrant.

Pas la moindre trace d'humour dans la voix.

— Putain, éteins-moi cette musique de merde.

— Eh ben alors, on est un peu énervé, ce soir ?

D'un pas mal assuré, encore sous l'effet des deux joints qu'elle avait fumés, Sandy atteignit la chaîne stéréo juste avant Clement, sauvant ainsi le disque des Bee-Gees d'une rayure mortelle.

— Mais qu'est-ce que t'as ? jeta-t-elle.

Debout devant la fenêtre, Clement s'absorba dans la contemplation des lumières du centre-ville.

Sandy fit un nouvel effort.

— C'est ton heure de réflexion ?

Il ne répondit pas.

— Je me suis fait du souci pour toi, moi, à glander ici toute la journée. Ça existe, les téléphones, tu sais.

« Ouais, c'est ça, mets-toi un peu en rogne contre lui... »

Tôt ce matin, Sandy avait fait entrer les ambulanciers dans l'immeuble de Skender, leur avait indiqué la cave, puis s'était dépêchée de rejoindre Clement qui l'attendait dans la voiture. Parvenus sur l'avenue Woodward, près de la cathédrale du Saint-Sacrement, Clement lui avait ordonné de descendre et de rentrer en taxi.

— Mais qu'est-ce que je vais foutre, moi, en pleine rue comme une pute ?

Il l'avait poussée durement.

— Où tu vas habiter, maintenant ? demanda-t-elle.

— T'inquiète.

Il était d'une humeur massacrante. Ça le prenait de temps en temps. Visiblement, ça s'était pas arrangé. Tant mieux. Ça l'aiderait à se foutre en pétard, comme ce matin, quand elle était restée plantée au milieu de tous ces nègres qui ralentissaient en arrivant à sa hauteur. Qu'est-ce qu'elle avait pu être furax contre lui !

— Surtout, fais comme si j'étais pas là, marmonna-t-elle.

— Mais non, justement je pensais à toi, répliqua Clement sans bouger. Viens un peu par ici. T'es déjà montée en haut du centre *Renaissance* ?

— Bien sûr, c'est là que je travaillais avant.

Il passa son bras autour de sa taille pour l'attirer contre lui.

— Deux cent cinquante mètres de haut. T'es tranquillement assis avec ton cocktail, et ça tourne. Tout doucement. Un petit coup d'œil à la pancarte Canada Dry... En bas, y'a le pont de l'Ambassadeur. Tu vois tout Detroit, pendant que tu tournes, très, très doucement. Tu te mets à penser à des trucs, à te poser des questions...

— J'ai pas jeté le revolver dans la rivière. Je l'ai donné à M. Sweety.

— Je sais.

— Tu veux que j' te dise pourquoi ?

— Je sais pourquoi.

— Comment ça se fait ?
— Je lui ai parlé.
— Tu es fâché ?
— Non...
Ce n'était pas très convaincant.
— Tu vois, reprit-il, pendant que j'étais là-haut, en train de penser à toi... Je t'ai téléphoné. C'était occupé.
Sandy tint bon. Pas un son ne la trahit.
— Je me suis dit : « A qui elle peut bien parler? Pas à l'Albanais... »
— Non.
« Oh Mon Dieu, s'il Vous plaît... »
— Et puis l'idée m'est venue. Tu parlais à Sweety.
— Qu'est-ce que t'es intelligent, murmura-t-elle, tout en passant son bras autour de Clement. Je sais que t'aimes pas que je fume de l'herbe, mais ça fait vraiment du bien quand je suis nerveuse.
— Pourquoi que t'es nerveuse ?
— Ben, je croyais que tu serais en colère, parce que j'ai pas jeté le revolver, quoi. Mais je me suis dit que M. Sweety saurait mieux se débrouiller que moi.
— Ça, je comprends. Mais tu vois, maintenant, y'a quelqu'un d'autre au courant de mes affaires.
— Ouais, mais il est pas *vraiment* au courant. C'est vrai, quoi, c'est seulement un revolver.
— Ah oui, alors pourquoi qu'il est pas tranquille, et qu'il veut que j'aille le chercher ? Je lui dis de le flanquer dans la rivière. « Je m'amuse pas avec des flingues louches », qu'il m'a fait. « C'est le tien, tu t'en occupes. » Hein, pourquoi qu'il croirait que le flingue est pas net ?
— Eh bien, peut-être que la police l'a interrogé...
Sandy sut immédiatement qu'elle avait commis une erreur, qu'elle en avait trop dit.
— C'est pas bête, ça, dit Clement en la serrant légèrement contre lui. Comme ils ont fait avec toi, hein ?
Malgré les lumières de la ville, qui s'étendaient sur des kilomètres, à perte de vue, Sandy eut l'impression d'étouffer entre quatre murs, comme si elle était enfermée dans une boîte ou dans un cercueil. C'était atroce.
— Je me suis fait du souci pour toi, aujourd'hui, dit-elle encore. J'avais aucune idée d'où t'étais. Il aurait pu t'arriver n'importe quoi...
— Ils sont venus te voir, aujourd'hui ?

— Ben, y'a une femme flic qu'est passée, oui. Elle m'a demandé si je savais quelque chose à propos d'un revolver. Mais elle était sympa.

— C'était pour t'avoir par la ruse.

— Ouais, mais je lui ai dit que dalle. Vrai de vrai.

Clement lui tapota le dos avec bienveillance.

— Je sais bien que t'as rien dit, p'tit chou. Ils sont comme ça, tous des têtes de lard. T'as fumé un peu, non ?

— Quelques taffes, à peine.

Sandy n'en revenait pas. Il avait l'air de trouver tout ça si simple !

— Quand est-ce que t'as dégoté la came ?

— L'autre jour.

— Quand t'as refilé le revolver à Sweety ?

— Oui. Mais j'en ai eu qu'un tout petit peu.

— Hé bé, soupira Clement. La vie vous joue des sales tours quand on fait pas gaffe.

— Je voulais rien faire de mal.

— Je sais, p'tit chou. Mais tu vois, maintenant, les flics ont mis le grappin sur Sweety, et j' parie qu'ils ont marchandé avec lui. Ou bien il me fait un coup fourré, ou bien ils lui ferment sa baraque et ils le renvoient dans sa galère. Je vais chercher mon flingue, je sors de la maison, et vingt bagnoles de patrouille me tombent sur le cul de partout. « Les mains en l'air, salaud ! » Mais y seraient obligés de vider leurs chargeurs, parce que, moi, il est pas question que j'aille en cabane.

— Partons à Tampa, en Floride... Tout de suite.

— J'aimerais bien, p'tit chou, mais y reste quelques problèmes. Ces putains de croque-morts d'Albanais viennent de mettre ta Montego dans un sale état... Non, ça je te raconterai plus tard, ajouta-t-il, voyant que Sandy s'était assombrie. Mais, d'abord, faut qu'on bazarde le flingue.

— Pourquoi ? Pourquoi on se tire pas tout de suite ?

Sandy fronçait les sourcils. C'était pas si simple que ça, en fait.

— Parce que je laisse pas traîner derrière moi un truc qui pourrait me jouer un mauvais tour plus tard. Sinon, il faut que je me débarrasse de tous les gens qui pourraient parler contre moi. Ça m'étonnerait que ça te plaise.

— Ouais, mais tu sais bien que je témoignerais pas.

— Bien sûr... Mais en fait, non, j'en sais rien. Ça arrive de changer d'avis. En tout cas, la seule chose qui est parfaitement claire dans ma tête, c'est que j'ai pas l'intention d'aller en taule. Alors, ou bien c'est le flingue, ou bien c'est toi et Marcus Sweeton qu'on supprime. Qu'est-ce que tu préfères ?

— Je croyais qu'on serait enfin tranquilles, murmura Sandy d'une voix à peine audible.

Son regard se perdit dans le lointain. Une toute petite fille qui aurait bien aimé être ailleurs, là-bas, plus loin même que le panneau lumineux de Canada Dry.

— Ça viendra. Je vais rappeler Sweety, on va s'arranger.

— Mais tu as expliqué, si tu allais chercher le revolver...

— Je t'ai pas déjà dit que t'étais en bonnes mains ? Tu la sens, cette bonne main, sur toi ? Tiens, en vl'à une autre qui arrive... Ferme les yeux. Elle approche... elle approche... Où c' qu'elle va se poser ?

Clement préférait de loin l'action à la réflexion. Parfois, pourtant, quand on réfléchissait à l'avance, on était récompensé. Tiens, par exemple, s'il avait su qu'il allait rectifier le juge, il aurait cogité quelque chose pour que ça paye mieux. Il essaya de l'expliquer à Sandy. Mais elle préférait ne pas savoir à quoi il pensait, si ça ne lui faisait rien. Elle alluma la télévision. Clement l'éteignit.

— Qu'est-ce que je suis en train de te raconter ?

— Mais j'en sais rien, moi ! Qu'est-ce que tu veux faire ?

— Je suis en train de te dire qu'y a plusieurs moyens de s'en tirer, dans c't' histoire. Merde, soit on s'aplatit dans les hautes herbes, et on attend que ça se passe. Comme quand ce train de marchandises m'est passé dessus. Soit on fait le coup avec classe. On laisse l'adversaire savoir ce qu'on pense de son plan de tête de lard. Tu me suis ?

— Non.

— Alors ouvre tes p'tits yeux, et prends-en de la graine. Tu vas voir si j' suis capable de réfléchir et d'agir en même temps.

27

Raymond songeait à Madeline de Beaubien, la jeune fille qui avait surpris le complot et averti la garnison Pontiac que les Indiens viendraient aux pourparlers avec des mousquetons à canons sciés cachés sous leurs couvertures. C'était elle qui avait sauvé Detroit des Ottawas.

La maison aurait très bien pu appartenir à l'un de ses descendants. Endroit idéal pour abriter un musée, avec ses pièces du XIXe siècle. Une maison froide, malgré les reflets couleur d'ambre qui teintaient le lustre, et les tons rosés que renvoyaient les miroirs, sur les murs. Une maison trop sérieuse, où rien de drôle ne se passait jamais, où personne ne riait.

Telle une hôtesse d'accueil dans une entreprise de pompes funèbres, Marcie lui annonça solennellement que Mme Wilder l'attendait dans son salon. Une audience avec la reine. Rien de plus. Parvenu au haut des escaliers, Raymond ne fut pas surpris de la pénombre qui régnait dans la pièce. Les spots du plafond avaient été mis en veilleuse, lumière dirigée vers les toiles abstraites. Carolyn était allongée sur le divan. Elle lui fit remarquer qu'il était en retard.

— En retard pour quoi ? répliqua-t-il, du tac au tac.

Il se détendit un peu.

— Bon, on efface ça, et on recommence, reprit-il.

— Tu devais partir quelques minutes après mon coup de téléphone.

— Je sais, mais j'ai été retenu. Qu'est-il arrivé à ta voix ?

Jusque-là, il n'avait pas vraiment vu ses traits. Lorsqu'il alluma la lampe posée de l'autre côté du divan, il remarqua les meurtrissures de son visage. Sa bouche enflée était entrouverte. Elle soutint calmement son regard, cligna des paupières une fois, deux fois... Elle attendait qu'il parle.

— Je t'avais prévenue.

L'expression de la jeune femme se durcit immédiatement.

— Ne t'avais-je pas prévenue ? répéta-t-il. Non, bien sûr, tu pouvais le maîtriser, sans problème.

— Je savais que tu dirais ça. Mais ce n'est pas la peine d'en rajouter.

— Ah non ? Eh bien, ce n'est pas fini ; tant que je trouverai des remarques à faire, tu les entendras.

— Tu parles sérieusement ?

— Evidemment. Je t'avais fortement déconseillé de jouer avec Clement, mais tu n'en as fait qu'à ta tête.

— Je l'ai un peu sous-estimé...

— Un peu.

Elle esquissa un sourire.

— Tu te sens mieux maintenant ? demanda-t-elle.

— Et toi ?

Puis il fit un geste qui les surprit tous deux. S'agenouillant près d'elle, il caressa très doucement son visage, sa bouche, du bout des doigts.

— N'essaye pas d'être une dure, murmura-t-il.

— Non, dit-elle en lui passant les bras autour du cou.

Lorsqu'elle l'attira contre lui, elle émit un faible son ; non, ce n'était pas un gémissement de douleur...

— J'ai un aveu à te faire, dit-il. Après on verra si on est toujours amis, ou quoi que ce soit d'autre. Ce n'était pas prévu : en arrivant, j'étais plutôt tendu. Je comptais écouter, essayer d'être poli, et repartir.

— Que s'est-il passé ?

— Je ne sais pas. Je crois que tu as changé. Ou c'est moi qui suis différent. Peut-être... Mais je voulais te dire... Je trouve que tu te prends trop au sérieux.

Elle ne s'attendait pas à ces paroles. Elle ne comprit pas.

— Il m'a *tabassée.*

— Je sais.

De nouveau, il lui caressa le visage. Sa voix, ses doigts étaient pleins de douceur.

— Je ne te reprocherai plus rien... Tu connais Clement, maintenant. Dis-moi pourquoi il va aller à la banque, demain.

— Il m'a obligée à lui faire un chèque. Tout l'argent que j'avais sur mon compte.

— Ça fait combien ?

— Plus de six mille.
— Qu'est-ce que tu disais, la dernière fois ? Qu'il était fascinant ? Pardon, j'arrête maintenant. Tu as fait opposition ?
— Non, je vais porter plainte pour agression, extorsion et vol. Il a pris plus de cent dollars en liquide.
— Attends un peu. Laisse-moi d'abord le faire inculper pour homicide. Après, tu pourras déposer toutes les plaintes que tu voudras.
— Tu n'obtiendras jamais sa condamnation. A moins que tu n'aies en main plus que ce que je connais.
— Est-ce qu'il avait un revolver ?
— Pas quand il était ici. En tout cas, il ne me l'a pas montré. Mais quand j'ai entendu des coups de feu et que j'ai regardé par la fenêtre de la salle de bains... J'ai d'abord cru que c'était la police. Et je me souviens avoir pensé : « Je veux le voir se faire tuer. »
— Vraiment ?
— Oui, l'idée m'est venue.
— Il avait un revolver, à ce moment-là ?
— Oui, il a riposté. Avec un automatique, assez gros. Mais qui sont ces gens ?
Raymond lui parla de Skender, de Toma. Carolyn ne manifesta aucune surprise. Elle avait déjà entendu parler des Albanais.
— Au téléphone, tout à l'heure, tu as cru que je voulais déposer une plainte contre eux, au nom de Clement. Et moi qui ne cesse d'imaginer toutes les manières dont j'aimerais le voir condamné...
— Laisse-le-moi. Je suis tout prêt du but. En fait, ça pourrait bien être pour ce soir.
Ses pensées revinrent à la scène qui s'était déroulée entre Carolyn et Clement.
— Est-ce qu'il a... abusé de toi ?
— Abusé ? répéta Carolyn, une lueur d'amusement dans les yeux.
— Allez, réponds-moi.
La jeune femme redevint grave.
— Pas vraiment.
— Qu'est-ce que ça veut dire, pas vraiment ?
— Il m'a caressée.
— Il t'a forcée à te déshabiller ?
— Il a ouvert mon caftan.
Carolyn s'interrompit, l'air un peu étonné.

— Sais-tu ce qui est en train de m'arriver? Je deviens pudique, moi qui ne l'ai jamais été de ma vie!

— Oui, tu étais trop occupée à essayer de t'impressionner toi-même. Raconte-moi ce qu'il a fait.

— Tu m'analyses, ou quoi? Il m'a pelotée, mais n'est pas allé « jusqu'au bout ». Tu te crois très perspicace, hein? ajouta-t-elle, surprenant le sourire de Raymond.

— Peut-être, si tel est le mot. Je ne me fais pas d'idées préconçues, pour me féliciter ensuite d'avoir eu raison. Je m'efforce d'être toujours prêt à accepter ce que je trouve. Est-ce cela, être perspicace?

— Tu es très malin. Tu me glisses toujours entre les doigts où je crois te tenir.

— Me tenir? Comment cela? C'est comme lorsqu'on remplit un compte rendu d'interrogatoire, pour l'acte d'accusation. Souvent, il n'y a pas assez d'espace pour répondre, ou bien pas les questions qu'il faut.

— Tu trouves que je juge trop vite? Que je suis pleine d'idées toutes faites? C'est ça?

— Je ne sais pas. On en reparlera une autre fois.

Il était fatigué. Il n'osait pourtant pas fermer les yeux.

— Très bien, je juge trop vite. Et toi, alors?

— Quoi, moi alors?

— Pendant que nous faisions l'amour, tu as dit : « Je sais qui tu es. »

— Je ne pensais pas que tu m'avais entendu.

— Qu'est-ce que tu voulais dire?

— Eh bien, c'était un peu comme si je t'avais *vraiment* vue. Pas ce que tu fais, ni ce que tu crois que tu es, mais la vraie Carolyn. La réponse te satisfait?

— Je ne sais pas.

— Ensuite, tu as changé et je ne te reconnaissais plus. Tu es redevenue l'avocate qui se croit obligée de jouer les durs. Mais regarde ce qui arrive aux durs.

Après un silence, il reprit :

— Carolyn, laisse-moi me charger de Clement.

Lorsque Hunter téléphona, Raymond était assis sur le divan. Carolyn avait étendu les jambes sur ses genoux. Ils étaient tous deux fatigués. Fatigués de se défier quand tant de choses les poussaient l'un vers l'autre.

Carolyn tenta d'imaginer la vie de Raymond, avant qu'il ne soit policier.

— Tu as toujours habité ici ? demanda-t-elle.

— A Detroit ? Non, je suis né à McAllen, au Texas. Ensuite, nous avons vécu à San Antonio, puis à Dallas. Nous nous sommes installés ici lorsque j'avais dix ans.

— Ton père travaillait sur une ferme ? demanda-t-elle, presque hésitante.

Raymond lui sourit.

— Tu veux savoir s'il était travailleur immigré ? Non, il était coiffeur. Il était extrêmement coquet, s'habillait toujours avec soin, portait des chaussures en cuir verni, à bouts pointus.

La sonnerie du téléphone retentit. Raymond savait que c'était pour lui. Repoussant les jambes de Carolyn, il se mit debout.

— Mon père est mort à cinquante-sept ans, ajouta-t-il.

— Mansell vient d'appeler, dit Hunter. Il veut que Sweety lui apporte le revolver.

— Où ?

— C'est compliqué. Sweety a prétexté qu'il devait aller à une réunion de famille chez sa mère. Pour que Clement se grouille, et qu'on en finisse. Sweety a refusé catégoriquement de toucher au flingue. Il a dit à Clement de venir le chercher d'ici une demi-heure s'il voulait l'avoir ce soir.

— Mais qu'est-ce que ça change ? La clé est sous le paillasson.

— Ouais, il a commencé comme ça. Mais après, il s'est embarqué dans cette histoire de visite à sa mère, et Clement a répondu que tant pis, il préférait attendre jusqu'à demain de toute façon. Demain après-midi. T'es toujours là ?

— Maintenant, il faut que tu éloignes Sweety pendant quelque temps. Sinon, son histoire ne tiendra plus debout. Clement pourrait très bien venir vérifier, ce soir.

— Ça m'étonnerait. C'est le genre de détail qu'on laisse tomber. Tu as eu Wendell ?

— Non, pas encore.

— Il a parlé à Toma. Toma répète qu'il tuera Clement s'il le voit. En d'autres termes, on peut aller se faire foutre. Mais il a fait une gaffe. La Cadillac de Skender a disparu, d'après Toma. C'est Mansell qui l'a piquée.

— Où es-tu ?

— Au bar.

— Il n'est pas exclu que Clement se pointe ce soir. Même sans clef; il peut passer par l'allée, traverser le jardin, et rentrer par la fenêtre de derrière.

— Sans blague ? (Hunter faisait preuve d'une patience tout à fait inhabituelle.) Figure-toi que l'appartement voisin de celui de Sweety est vide. La Surveillance s'y est installée pour la nuit. Ça sera assez près ? Qu'est-ce que t'as, tu te sens coupable, tout à coup ? Parce que je suis là à bosser comme un malade pendant que tu te payes une nana ?

Raymond retourna vers le divan. Debout, il hésita. De quoi parlait-il, déjà ?

— Ma mère s'appelait Mary Frances Connoly.

Le visage calme de Carolyn se détachait sur le bleu d'un coussin.

— Tu veux savoir ce qu'elle faisait, dans la vie ?

— Elle était institutrice.

— Non, elle tenait un salon de beauté, dans l'hôtel *Statler,* du temps où il existait encore. Tout le monde l'appelait Franny.

— Tu sais ce qu'elle faisait, ma mère à moi ? Rien. Tu ne veux pas t'asseoir ?

Raymond souleva les jambes de Carolyn pour reprendre sa place.

— Si tu veux te coucher, je peux te laisser.

— Non, reste. A mon tour de t'étudier. Tu aimes ton travail, n'est-ce pas ?

— Ouais.

— Tu ne te lasses pas de faire la même chose tous les jours.

— Ça, c'est seulement quand on doit faire de la surveillance. Personne n'aime ça. Mais tout le reste est chaque jour différent.

— Il y a surveillance, et il y a affût, dit lentement Carolyn. Je crois que tu es en train de tendre un piège à Clement.

Raymond caressait les pieds nus de la jeune femme. Ses doigts étaient souples et détendus.

— Tu es chatouilleuse ?

— Un peu.

— Tu es exactement comme au tribunal. Imperturbable. Tous les pros sont comme ça. A les voir, on dirait que c'est facile.

— J'ai dit que j'avais l'impression que tu tendais un piège à Clement.

— Et moi, j'ai l'impression qu'il s'en doute. Alors, tout dépend de lui, n'est-ce pas ?

— Mais tu as l'air de penser qu'il va venir.

— Il va faire quelque chose, j'en suis sûr.

— Comment le sais-tu ?

— On se connaît, tous les deux.

Il sourit.

— Mon Dieu, tu es aussi gamin que lui.

Raymond cala sa tête contre le coussin. Il s'installa plus confortablement.

— Je plaisantais.

Carolyn regardait son visage aux yeux fermés, éclairé à contre-jour. Il était simplement lui-même, maintenant.

— Non, tu ne plaisantais pas.

28

Le lendemain matin à huit heures, Raymond téléphona au commissaire Herzog, pour faire son rapport sur le déroulement de la surveillance.

Herzog était en vacances depuis la veille, lui apprit-on. Mais le soulagement de Raymond fut de courte durée. On lui passa le commandant Lionel Hearn. C'était un homme calme, bon policier, plein de bon sens, qui ne souriait pas souvent (ce qui gênait un peu Raymond). Le commandant Hearn était noir. Sans entrer dans les détails, Raymond le mit au courant de la surveillance du bar *Chez Sweety*, de la maison voisine et de l'objectif de l'opération.

— Très bien, répondit le commandant Hearn. Où êtes-vous posté ?

— En fait, je me trouve en ce moment chez l'avocate de Mansell, qui habite à trois ou quatre minutes à peine du bar.

Silence. Raymond poursuivit.

— J'aimerais que Mme Wilder soit présente en cas d'arrestation. Je veux surtout éviter d'être renvoyé du tribunal pour quelques questions de détails techniques que nous n'aurions pas prévues. On veut faire ça dans les règles.

Silence. Le commandant Hearn était probablement en train de rassembler les fragments d'une scène dans son esprit... Raymond en manches de chemise, sans cravate mais rasé de près, avec devant lui, sur le bureau, un petit déjeuner sur un plateau, juste à côté de l'étui de son colt automatique.

Le commandant répondit qu'il n'avait jamais entendu parler de ce genre de précautions. Etait-ce nécessaire ?

— En fait, reprit Raymond, Mme Wilder ne représente plus Mansell, et ne sera pas chargée de son affaire devant le tribunal. Il ne lui a réglé aucun honoraire. Elle accepte de nous aider. Je pense qu'elle serait un témoin précieux.

Silence de nouveau.

— Eh bien, je vous fais confiance. Bonne chance.

Raymond se tourna vers Carolyn.

— Je ne suis pas si désinvolte, d'habitude. Pas du tout.

— En tout cas, tu étais très convaincant.

Hunter était rentré chez lui à sept heures. A midi, il était de retour. Il restait en contact avec Raymond au moyen d'un téléphone que la Surveillance avait pris chez Sweety, et branché dans l'appartement vide attenant à sa maison. Six autres policiers, dont trois armés de fusils, étaient avec Hunter dans l'appartement. Ils surveillaient la façade et l'arrière de la maison. Personne n'aurait pu reconnaître des voitures de police parmi les véhicules stationnés dans la rue. Hunter téléphonait toutes les heures.

Midi. « Rien à signaler. Sweety est au bar, la clef est sous le paillasson. »

Douze heures cinquante : « T'as dormi où ? Sur le divan ? Ouais ; pourquoi tu changes de sujet ? »

Treize heures cinquante-cinq : « Je vais t'appuyer auprès d'Herzog pour une citation en exemple : " Au mépris de sa sécurité personnelle... " Ça va, tu prends ton pied ? »

Quatorze heures vingt-cinq : « Une Cadillac noire vient de passer devant la maison. Elle fait demi-tour un peu plus loin. La revoilà. C'est bon. Elle se gare juste devant. »

— J'arrive.

— Merde !

— Qu'est-ce qu'il y a ?

— C'est pas Mansell. C'est sa connasse de copine.

Sandy devait s'en tirer facile. Aucun problème. Surtout pas s'énerver. Bon, tout allait bien. Elle eut un peu de mal à ouvrir la porte (elle avait une envie terrible de faire pipi, sautillait d'un pied sur l'autre). Ensuite, elle mit un temps fou à trouver le commutateur, dans la cave. Elle essaya d'ouvrir le chauffe-eau, puis s'aperçut que ce n'était pas la chaudière. Enfin, elle trouva le revolver, le Walther. Elle le fourra dans le sac à main en cuir marron qu'elle portait à l'épaule. Revenue en haut, elle chercha le téléphone, sans succès. Hé là, ça suffit, maintenant ! Ayant déniché un autre poste dans la cuisine, elle composa un numéro.

— C'est vraiment pas mon jour, aujourd'hui. J'ai failli oublier ce que j'étais venue foutre ici. Ouais, je l'ai. Non, j'ai pas vu un chat... Pour quoi faire, jeter un p'tit coup d'œil dans les environs ? Tu veux que j' le ramène, ou pas ?

Elle fit ce que Clement lui avait dit. Elle examina quelques secondes par la fenêtre les voitures garées dans la rue. Dehors, elle marcha les yeux au ciel, traînant son sac par la bandoulière, remonta dans la Cadillac et s'éloigna.

Sortant de la Mercedes grise de Carolyn, Raymond rejoignit Hunter et les autres policiers devant l'appartement vide.

— Non, mais t'as vu ça ? jeta Hunter. J' te parie qu'elle se rappellera même pas qu'elle est venue ici, tellement elle était défoncée.

Lorsque Toma aperçut la voiture par la fenêtre, il se rappela le jour où, à seize ans, il avait tué d'une seule balle un soldat russe qui était descendu de son camion pour se soulager. La même distance séparait en ce moment la fenêtre de l'appartement et la voiture, garée de l'autre côté de la rue. Pendant trois jours, il avait attendu qu'un camion russe passe. Aujourd'hui, il y avait à peine trois minutes qu'il se trouvait dans l'appartement de Skender, où il était venu chercher quelques livres qu'il apporterait à l'hôpital. Il avait regardé par la fenêtre, sans espoir ni désir particulier d'apercevoir quelque chose qui l'intéresserait. Et là, juste sous ses yeux, la Cadillac noire de Skender était apparue. Parfois, il fallait se donner du mal, et parfois on vous apportait ce que vous cherchiez sur un plateau. Toma posa les livres sur le rebord de la fenêtre, sortit son Beretta calibre 32. C'est alors qu'il déchanta : le plateau ne lui offrait pas exactement ce qu'il voulait. Dans la voiture était assise une jeune fille avec des drôles de cheveux blonds. Elle fumait une cigarette, prenait tout son temps.

Toma observait la scène. Enfin, la fille descendit de voiture, claqua la portière. Puis elle la rouvrit, se pencha à l'intérieur, resta dans cette position pendant une bonne minute, avant de ressortir avec un sac en cuir marron, tout mou et tout usé. Tenant le sac par la bandoulière, sans se soucier de ce qu'il traînait par terre, elle traversa la rue et pénétra dans la cour du bâtiment. Toma recula d'un pas. Elle emprunta l'allée qui longeait l'immeuble, jusqu'à l'entrée principale. Là, elle s'arrêta. Elle n'entra pas, mais se contenta d'attendre au-dehors, à moins de dix mètres de Toma, à qui elle tournait maintenant le dos. Détendue, pourtant parfaitement immobile. Toma regarda de nouveau vers la rue. Une Mercedes grise passa lentement devant l'immeuble. Puis une Ford noire... Encore une autre.

« Il est ici », songea Toma.

Mais comment était-ce possible ?

Soudain, il comprit. Au moment où il reportait son attention sur la fille, la porte vitrée s'ouvrit, livrant passage à Clement. Dans la cave. Dans la pièce secrète.

Ou bien dans l'appartement du dessus, celui que Skender était en train d'aménager.

Bon Dieu, il en avait un culot, celui-là ! Lentement, il s'agenouilla. Il décida de tirer à travers la vitre. Les mecs gonflés mouraient comme les autres, du moment qu'on les atteignait au bon endroit. Mais la fille était dans la ligne de tir. Toma ne distinguait qu'un petit bout de Mansell. La fille soulevait son gros sac en cuir, Mansell tenait un revolver à la main. Toma visa. Mais Mansell ne restait pas en place. Il se penchait sur le côté pour regarder la rue, derrière la fille. Maintenant, il fouillait dans le sac.

« Qu'est-ce que c'est que tout ce manège ? se demanda Toma. On est au spectacle, ou quoi ? »

L'espace d'un instant, il crut apercevoir un second revolver, dans la main de Mansell.

Pourquoi ne se dépêche-t-il pas ?

Voilà qu'il retournait à l'intérieur, à présent. La porte de verre se referma. Sans se presser, la fille fit demi-tour.

« Cours, maintenant, songea Toma. Règle-lui son compte dans le hall. »

Mais que se passait-il encore ? Du même pas hésitant et nonchalant à la fois, la fille était sortie de la cour. Elle fit un pas de côté, s'arrêta au bord de la pelouse pour laisser passer un groupe de gens parmi lesquels Toma reconnut Raymond Cruz, Hunter, plusieurs inspecteurs. D'autres visages lui étaient inconnus. Il y avait une femme... Le cortège s'engagea rapidement dans l'allée, passa juste devant Toma, assis aux premières loges.

C'est ça, comme au spectacle.

Raymond Cruz se retourna vers la fille d'un air interrogateur. Elle fit un signe affirmatif de la tête. Pas pour dire bonjour, mais pour indiquer quelque chose. Cruz rattrapa les autres qui s'engouffraient déjà dans l'immeuble. Ils étaient impatients, bien sûr, puisqu'ils savaient que Mansell était à l'intérieur.

Ils étaient dans le hall, maintenant. Toma avait entendu la sonnerie qui déclenchait l'ouverture de la porte.

La fille aux drôles de cheveux blonds était toujours dans la cour. Délaissée. Elle regarda dans son sac, y promena sa main (elle cherchait ses clefs sans doute) tout en regagnant la rue, croisa un policier qui descendait d'une voiture de patrouille, et traversa la chaussée en direction de la Cadillac de Skender.

Si elle lui avait donné un revolver, et que Mansell restait ici... Il n'aurait pas pu trouver un autre endroit, non ? Mais non, bien sûr, c'était *exactement* l'endroit qu'il lui fallait !

Toma sortit en courant de l'appartement de Skender, s'engouffra dans le couloir, se rua dans l'escalier de service. Il entendit des pas au-dessus de lui. Dans l'obscurité, il descendit aussi silencieusement que possible. Il ne comprenait toujours pas très bien de quel genre de spectacle il s'agissait. Pourtant, il avait sa petite idée quant à une fin possible.

29

Dans le couloir du premier étage, le groupe de la Surveillance passa en trombe à côté de Carolyn et de Raymond.

— Ça se passe souvent comme ça ? demanda Carolyn.

Tous les appartements, toutes les pièces, tous les placards du bâtiment avaient été fouillés. Les policiers allaient et venaient, se croisaient dans les couloirs. « On tourne en rond, se dit Raymond. C'est impossible, Clement n'a pas pu sortir. » Nulle part, depuis la cave jusqu'au toit, il n'y avait un endroit où il ait pu être caché.

— On le trouvera, affirma-t-il.

— Mais il n'est pas ici.

— Si, répliqua-t-il sur le ton de quelqu'un qui n'a plus rien à perdre.

Hunter les avait rejoints.

— Qu'est-ce qu'on fait ?

Raymond repassa dans son esprit la scène dont il avait été témoin, lorsque la Mercedes de Carolyn avait lentement roulé devant l'immeuble : Sandy se trouvait devant la porte, Clement était sorti... La Mercedes avait fait demi-tour. Puis ils avaient pénétré dans la cour, avaient croisé Sandy, elle lui avait adressé un signe de tête. Il s'était empressé de la croire, parce qu'il était impatient. Trop impatient, visiblement...

— Où est Sandy ?

Les deux hommes se regardèrent. Puis Hunter s'éloigna dans le couloir.

— Ça alors ! s'exclama Carolyn. Et maintenant, qu'est-ce que vous allez faire ?

— Attendre.

— Attendre quoi ?

Hunter revenait vers eux.
— Dis donc, t'as vu Toma, toi ? Il est ici.
Carolyn vit un sourire s'épanouir lentement sur le visage de Raymond.

Toma avait laissé la porte de l'appartement ouverte. Il parcourait distraitement l'un des livres qu'il apporterait à Skender, *Les Plantes d'intérieur.* Raymond Cruz, une femme et Hunter apparurent dans l'embrasure de la porte.
— Tiens... Comment ça va ? demanda Toma.
Raymond fit les présentations.
— Toma Sinistaj, Carolyn Wilder. Mme Wilder est avocat, spécialiste du droit pénal. Elle est l'un des meilleurs avocats de Detroit. Je dis ça au cas où vous voudriez l'engager tout de suite.
— Vous ne préférez pas que nous parlions en tête à tête ?
— Je veux que vous me disiez où il est. On est très bien ici.
— Raymond, je fais ça pour vous... Mais ce n'est pas la peine que tous vos amis soient témoins. J'aurais pu le tuer. Vous comprenez ? Il s'en est fallu de peu. Et puis, je me suis dit non.
— Pourquoi ?
— Vous verrez. Ou peut-être que vous ne verrez rien, ça dépend de vous. Mais je crois que vous feriez mieux de renvoyer vos gars.

Dans le hall de l'immeuble, une porte se referma.
Le bâtiment était plongé dans le silence, à présent. Toma conduisit Raymond, Hunter et Carolyn à la cave. Après avoir allumé les néons, il jeta un regard autour de lui. Il faisait attendre son public.
— Il avait un revolver, dit-il. Celui-ci.
Ouvrant la veste de son costume, il tira un automatique de sa ceinture.
— Vu ? C'est un Browning. Il appartient à la famille, et n'a jamais tué personne.
— Où est Clement ? interrompit Raymond.
— Regardez ce mur, là, fit Toma en accompagnant ses paroles d'un signe de tête.
S'approchant de la chaudière, l'Albanais se haussa sur la pointe des pieds et poussa un bouton.

Avec un ronronnement, le mur s'ouvrit lentement. Un pan d'un mètre pivotait devant eux. Peu à peu, la pièce, le tourne-disque, le coffre-fort apparurent... et Clement Mansell, assis les jambes croisées sur une chaise en toile.

— Merde, qu'est-ce qui se passe ? maugréa-t-il. Je viens ici pour rapporter quelque chose que Sandy m'a dit que son copain lui avait prêté pour sa protection personnelle, et cette espèce de croque-mort me fout un flingue dans le dos, m'enferme là-dedans...

— Il avait déjà ouvert le mur, expliqua Toma. Il attendait que vous le trouviez.

— Avec le Browning ?

Toma acquiesça.

— Il veut vous faire croire que c'est la blonde qui le lui a donné.

— Vous l'avez bien fouillé ?

— Bien sûr.

— La pièce aussi ?

— Vous en faites pas, fit Toma en soupesant le Browning. C'est le seul revolver qu'il avait. Il y en avait quelques autres, ici, mais je les ai enlevés hier.

— Vous cherchez un revolver ? dit Clement ; avec la marque P.38 sur le côté, et tout un tas de numéros, qui ressemble un peu à un Luger ? Je l'ai pas vu.

« Fais-le sortir, songea Raymond. Non, rentre là-dedans avec lui, et dis à Toma de refermer le mur. »

— On tient Sandy, disait Hunter. On l'a vue te filer le flingue. Tu le lui as rendu ; tu nous prends peut-être pour des imbéciles ?

— Foutaises ! Si vous teniez Sandy, vous seriez pas ici, avec vot' gueule d'abruti.

Raymond brûlait d'envie d'attraper Clement à bras-le-corps, de l'arracher de la chaise (où il était affalé, l'une de ses jambes à angle droit, avec sa botte posée sur son genou, les coudes appuyés de chaque côté, les mains croisées devant lui) et de le frapper de toutes ses forces.

Les yeux de Clement s'arrêtèrent sur Carolyn.

— Comment ça va, p'tite dame... Bon Dieu, qu'est-ce qui vous est arrivé, vous vous êtes cognée dans quelque chose ou quoi ?

Revenant à Raymond :

— J' sais pas c' qu'il raconte, ce croque-mort, mais moi, je vous dis que je suis venu pour rapporter une arme que le copain de Sandy lui a donnée (à moins qu'elle lui ait piqué). Si c'est pas ce que vous avez vu, ou si ça vous plaît pas, c'est kif-kif. J'en changerai pas. Et j'vous préviens tout de suite, vous me mettrez jamais le juge sur le dos, ça pas question... Ni personne d'autre.

Il fit un clin d'œil à Carolyn :

— Je les tiens par les couilles, hein, maître? Au fait, je voulais vous remercier pour le pognon que vous m'avez prêté.

Il tapota la poche de sa veste.

— J'ai le chèque juste là. J' vais l'encaisser en partant pour Tampa, en Floride. Et je remettrai plus jamais les pieds ici. J' parie que ça vous en bouche un coin !

Il adressa à Raymond un sourire railleur.

— Qu'est-ce que vous dites de ça? Vous abandonnez la partie?

Sans rien dire, Raymond enfonça de sa main droite le bouton sur le mur. La porte commença à se refermer.

— Hé ! s'écria Clement, sans bouger. Mon avocat est juste à côté de vous, vieux con.

Puis il se leva.

— Bon, ça va comme ça, bordel !

Il introduisit ses doigts dans l'ouverture, mais dut bientôt les retirer.

— Bordel, ouvrez cette connerie de... hurla Clement.

Ce fut tout. Le ronronnement du moteur s'arrêta. Il y eut un silence. Carolyn partit en direction de l'escalier.

— Carolyn ? appela Raymond.

— Je vais à la voiture, dit-elle sans s'arrêter ni se retourner.

Raymond la suivit des yeux. Pas d'objection, pas d'émotion. De nouveau, le silence retomba. Hunter s'approcha du mur de briques. Il passa la main sur la surface rugueuse.

— Où il est parti ? fit-il, impassible.

Toma prit la parole.

— Vous comprenez maintenant pourquoi je ne l'ai pas tué ? De cette façon, nous sommes tous les deux contents. Pour moi, c'est comme si Skender lui rendait la pareille, ce qui est encore mieux. Pour vous, il semble que ce soit le seul moyen d'avoir ce tueur.

— Vous êtes sûr qu'il peut pas ouvrir? demanda Hunter.

— Il a lui-même démoli le système, la dernière fois qu'il est venu.

Une conversation à voix basse s'engagea entre les deux hommes. Raymond écoutait.

— Il a creusé sa propre tombe. Il y a de l'eau, un peu de nourriture pour ses derniers repas, des toilettes. Il peut tenir, je sais pas, cinquante, soixante jours peut-être. Mais il finira par mourir.

— On cernait la baraque, mais il a quand même réussi à nous échapper. Pour moi, y'a aucun problème. Le gars s'est tout simplement volatilisé.

— De plus, c'est insonorisé, fit Toma.

— Je me demande si on sentira une odeur, au bout de quelque temps.

— Si l'un des locataires se plaint, on ouvre la porte... « Oh, c'est donc là qu'il se cachait ! Sale histoire... »

« C'est fait, songea Raymond. Va-t'en, maintenant. »

30

Seuls à une table du bar *Athens*, Raymond et Hunter prenaient un verre. Ils ne disaient pas grand-chose. Enfin, Hunter se pencha vers Raymond... Carolyn Wilder, est-ce qu'elle vendrait la mèche où pas ? Raymond en doutait. Elle était partie (sa voiture n'était plus là lorsqu'ils avaient quitté l'immeuble), ce qui revenait à dire : « Faites ce que vous voulez. » Elle était capable d'assumer. Elle ne se faisait plus d'illusion sur Clement. Bien sûr, elle pouvait l'envoyer en prison, pour agression et vol, mais elle savait qu'il reviendrait alors lui rendre visite.

— Tu veux que je te dise ? fit Hunter. Ça m' rappelle la première fois que j' suis allé voir une pute. J'avais seize ans, les copains m'ont amené dans un bordel au coin de la rue Seward. Après, on est tout excité. On sait pas si on devrait être fier de soi ou se sentir coupable. Tu m' suis ? Mais, au bout d'un moment, on n'y pense plus en ces termes. On l'a fait, c'est tout.

Hunter partit se coucher.

Raymond retourna au siège de la police. La cafétéria du hall était fermée. Sa montre marquait dix-sept heures quarante. La pièce de la brigade était déserte. Raymond s'assit à son bureau, près de la fenêtre. Au-dehors tout était lugubre. Une lumière grisâtre tombait du ciel. Bien que la salle fût plongée dans une semi-obscurité, il ne lui vint pas à l'idée d'allumer.

Quand le mur s'était refermé sur Clement, il avait été soulagé. En fait, plus qu'un soulagement, c'était une absence de tension. Il s'efforça d'analyser ce qu'il ressentait, maintenant. Ni plaisir, ni malaise. Il téléphona à Carolyn.

— Tu as peur que je te dénonce ? demanda-t-elle.

— Non.

— Alors ce n'est pas la peine d'en parler. Je suis épuisée. Tu me rappelles demain ? On pourrait dîner ensemble, fumer un peu d'herbe ; qu'est-ce que tu en dis ?

Un peu après dix-huit heures, Raymond releva la tête au bruit de la porte qui s'ouvrait. Une silhouette se dessinait dans l'embrasure, éclairée par la lumière du couloir.

— Il y a quelqu'un ? demanda Sandy. Qu'est-ce que vous fabriquez là, assis dans le noir ?

Elle entra, la porte se referma derrière elle.

— Oh la la, je suis crevée ! soupira-t-elle tout en jetant son sac à main sur le bureau d'Hunter.

Elle prit place dans le fauteuil du sergent, posa ses pieds chaussés de bottes sur le coin du bureau. Raymond distinguait son visage, face à la fenêtre. Il ne fit pas un mouvement. Après tout, pourquoi s'en donner la peine ? Il n'avait plus pensé à Sandy Stanton. Bien sûr, il avait quelques questions en tête, mais il n'éprouvait pas l'envie de les lui poser. Retrouver son rôle de flic ne lui disait rien pour l'instant.

— Dans le garage, y'a un type qui m'a interpellée : « Hé, vous n'avez pas le droit de vous garer ici ! » « Je ramène seulement une voiture volée », que j' lui ai fait. Et puis celui au bureau du rez-de-chaussée... C'est quoi, là, en bas ?

— Le commissariat de la première circonscription.

— « Où vous allez ? », qu'il me fait. J' lui ai répondu que j'allais au cinquième. « Vous avez pas le droit de monter », qu'il fait. Tire-toi, je m' suis dit, merde, si on te laisse même pas *entrer* ! Je croyais que vous m'auriez cherchée. Je suis restée assise dans l'appartement sans rien comprendre à c' qui se passait. Finalement, le téléphone a sonné. C'était Del. Il rentre pas, il va à Acapulco. Tenez-vous bien... Il veut que je prenne l'avion pour L. A.* et que je parte avec lui... Et que j' lui apporte sa veste rose et vert que l'autre oiseau de merde a filée au portier. Comment est-ce que je vais faire pour la récupérer ?

— C'est ça que vous êtes venue me demander ?

— Non. Je voulais savoir si je peux partir, ou si vous allez m'arrêter, ou quoi. Je suis tellement crevée que je veux me tirer, *n'importe où.* Et pioncer pendant une semaine.

Elle lui montra ses poings serrés.

— J'ai les nerfs comme *ça.*

* L.A. : Los Angeles (N.d.T.).

— Vous avez ramené la voiture de Skender ?
— Ouais. J'ai dit au type en bas qu'elle était pas *vraiment* volée, mais plus ou moins, quoi, et que vous étiez au courant.
— Et le revolver ?
Sandy fouilla dans son sac. Elle posa le Walther sur le bureau de Hunter.
— On va pas remettre ça, hein ? J' n'ai pas revu ce trou du cul. Il a pas appelé, heureusement, et je sais pas où il est. Il est peut-être en taule, j' m'en fous. J'ai vingt-trois ans, il est temps que je m' bouge le cul. Acapulco me fera sans doute du bien. Vous croyez pas ?
— Oui, vous avez raison de partir.
— Vrai ?
Raymond ne répondit pas. Sandy se leva, attrapa son sac à main.
— Bon, je vous laisse le revolver...
Raymond acquiesça d'un signe de tête.
— Ecoutez, reprit Sandy, j' vous en veux pas. Je trouve même que vous avez été plutôt sympa, vu les circonstances. Je comprends que vous devez faire votre boulot, et tout ça. Alors peut-être qu'on se reverra un de ces jours.
Raymond éleva la main en signe d'adieu. Lorsque la porte se fut refermée sur la lumière du couloir, il baissa lentement le bras. Puis se leva. S'approcha du bureau d'Hunter. Prit le revolver, le soupesa. Après l'avoir fait passer dans sa main gauche, il sortit son colt 9 mm de son holster d'épaule, compara leurs poids. Le colt pesait bien deux cent cinquante grammes de plus. Cruz, l'homme aux deux revolvers. Seul dans une pièce sombre. Cruz, l'homme aux deux revolvers, merde. Cruz le sournois... Cruz l'homme mort... Et qu'est-ce que tu dis de Cruz tête de lard, hein, tête de lard ?

Au bout de deux ou trois heures, Clement mit un disque de Donna Summer. Histoire d'entendre une voix humaine. Il fit l'inventaire des boîtes de conserve. Pois cassés et corned-beef, rien de c' qu'il aimait bouffer. A boire, il n'y avait que l'eau du robinet, et deux bouteilles de Coca.
« J' te parie qu'ils vont couper l'eau quand ils y penseront, s'ils comptent te laisser moisir ici. »
Il avait d'abord cru que le mur se rouvrirait une minute plus tard. Bon, d'accord, cinq minutes. Allez, dix. Très bien, ils voulaient faire joujou...Alors une demi-heure, peut-être. Ça

devrait suffire à lui flanquer une bonne trouille. Au bout d'une heure, il eut une illumination : lorsqu'ils ouvriraient, ils lui demanderaient s'il était prêt à faire des aveux, et s'il refusait, ils menaceraient de refermer et d'embarquer le moteur. Les p'tits cons. Il prendrait un air effrayé... Oui, j' vous en supplie, laissez-moi sortir, je dirai tout ce que vous voudrez. Et puis, au moment de l'interrogatoire, il les enverrait se faire foutre, jurerait qu'on l'avait forcé à signer les aveux. Et non seulement il se débinerait, mais, en plus, il ferait un procès à la police. Cent mille dollars, pour lui avoir baisé son système nerveux. Regardez-moi ça, il arrêtait pas de trembler.

Depuis que le mur s'était refermé, un peu après quinze heures, il avait cessé de regarder sa montre en or. Jamais le temps ne lui avait paru si long. Il s'assit, se leva, marcha de long en large, en musique. Dans son esprit, surgirent des images de danses disco. Il se laissa aller à suivre le rythme, pour voir s'il y arrivait. Merde, c'était facile. Il *sentait* que ça venait, si seulement y'avait un miroir, qu'il puisse se regarder. Merde, qu'est-ce qu'il foutait à danser tout seul sur les chansons d'une négresse, dans une pièce secrète au fond d'une cave ? Qui aurait cru ça de lui ?

Il regarda sa montre en or à 6 :50, 7 :15, 7 :35, 8 :02, 8 :20. A 9 :05, il fit quelques pas de danse. A 9 :32, il éteignit le tourne-disque pour souffler un peu. Encore une fois à 9 :42. C'est juste après qu'il entendit le bruit du mur qui s'ouvrait. Il prit place dans la chaise de toile, face à l'ouverture. La cave apparut, lentement. Si c'était l'Albanais, il était un homme mort. C'était peut-être Carolyn, torturée par les remords. Non, elle aurait trop peur... A moins qu'elle n'ait envoyé quelqu'un. Non, ce ne pouvait être que les flics qui revenaient avec leurs menaces. « Prépare-toi, prends l'air effrayé. » Il attendit. Le moteur tournait toujours. Personne n'apparut. Il se leva, s'approcha de la porte, passa prudemment la tête à l'extérieur. Personne à côté de la chaudière... Personne ne lui sauta dessus lorsqu'il sortit. Il arrêta le mécanisme.

Qui ?

Si c'était un ami, ouais, l'idée lui était venue, y serait là. S'il faisait l'inventaire de ses amis, ça ne pouvait être qu'une seule personne. Donc, ce n'était pas Sandy. Sauf si elle avait voulu l'aider, mais sans être vue avec lui, et qu'elle se soit taillée en courant. Ou bien, c'était les Albanais, et ils l'attendaient dehors. Non, débile. Ou bien encore, c'était quelqu'un qui avait mauvaise conscience. Ça, à la rigueur, c'était logique. Difficile à admettre, pourtant.

Clement grimpa les escaliers. Au rez-de-chaussée, il prit le couloir qui conduisait à la porte principale. Si c'était quelqu'un qui voulait le coincer, la porte de derrière serait gardée, alors pas la peine de ruser. « Bon, sors maintenant. » Clement gagna la rue, et devant lui, sous ses yeux... la Cadillac noire de Skender. Alors là... Coïncidence ? La bagnole avait été embarquée puis ramenée ? Ou bien c'était Sandy qui l'avait laissée là, et elle s'était cassée à pied ? Est-ce qu'on essayait pas encore de le tenter ? Hé, minute, p't'êt' qu'ils avaient mis le flingue dans la bagnole. Pour l'arrêter et le pincer avec ? Non. Qu'on l'arrête pour vol de tire, d'accord (numéro 206 quelque chose), mais si y'avait un flingue dans la bagnole, c'était celui du propriétaire, pas le sien. De toute façon, y'avait pas d'empreintes. Ouvrant la portière du conducteur, Clement passa la main sous le siège. Pas de flingue. Seulement les clefs. Tu réfléchis à tout ça ? Non, tu te casses, vite fait.

Au volant de la Cadillac, Clement prit la voie express en direction du centre-ville, sortit rue Lafayette (juste après l'énorme panneau publicitaire « Bière Strohs » qui jetait ses couleurs contre le ciel de la nuit). Dix minutes plus tard, il s'engouffrait dans l'ascenseur. Si Sandy était à la maison, ce qu'il espérait, elle pourrait peut-être lui expliquer toutes ces histoires de dingues.

31

Clement avait toujours la clef que Sandy lui avait donnée. Lorsqu'il entra, l'appartement était faiblement éclairé par les lumières du dehors. Mais il n'y avait personne.

Il tendit l'oreille.

— P'tit chou ?

Il était environ dix heures trente. Peut-être qu'elle dormait. Avec tous les joints qu'elle avait dû s'enfiler, ça serait pas étonnant. Clement alluma le couloir qui menait à la chambre.

— P'tit lapin ?

Le lit n'était pas fait (ça, normal) mais il n'aperçut aucun des vêtements que Sandy laissait toujours traîner. Il alluma, puis se dirigea vers le placard.

Il n'y avait plus que les fringues de Del Weems.

S'approchant de la commode, il avança la main pour ouvrir l'un des tiroirs. Il ne termina pas son geste. A moins de vingt-cinq centimètres de ses yeux, le Walther P.38 était posé sur le dessus de la commode. Elle avait *toujours* pas balancé cet engin de merde !

— C'est pas vrai, s'entendit-il gémir. P'tit chou, ça fait deux fois maintenant. T'essaies de m' coller des emmerdes sur le dos, ou quoi ?

Il faillit jeter le revolver par la fenêtre. Bordel, il fallait se débarrasser de ce machin *une fois pour toutes.* C'était un vrai pot de colle... Il le saisit. Tout de même, sacré engin. Ça vous tirait des balles qui allaient droit au but. Il tira le chargeur. Bon, y'avait de quoi faire. Mais il manquait deux balles. Il le remit en place d'un coup sec de la paume. En retournant au salon, il essaya de se rappeler. Cinq pour le juge, trois pour la bonne femme. Il avait rechargé dans le garage, avant de cacher le revolver.

Il alluma la lampe du bureau. Une feuille de papier vert pâle était posée juste en face de la chaise. Sans y toucher, Clement s'assit, coudes écartés sur la table, pour lire de plus près. Il posa le Walther à côté de lui.

Cher Clement,

Si tu lis ceci, c'est que tu ne sais pas encore que je suis partie. Je ne te dis pas pour où, parce que je m'en vais pour de bon. Mes nerfs sont à bout, et je deviens trop vieille pour ton style de vie. Il faut que je te dise, je crois, que j'ai toujours pas jeté le revolver. Parce qu'il y avait quelqu'un partout où je suis allée, qui me regardait chaque fois que je sortais de la voiture. Je ne sais pas pourquoi, mais c'est pas facile de jeter un flingue. J'en ai marre, alors au revoir.

Sandy.

P.S. : *Tu ferais mieux de te tailler !*
P.P.S. : TROP TARD.

Clement fronça les sourcils. Quelque chose tournait pas rond. Le deuxième post-scriptum, plus gros, n'était pas de la même écriture. Peut-être qu'elle l'avait griffonné à toute vitesse... Mais non, même pas. C'était écrit en grosses lettres d'imprimerie. Clement sentit la chair de poule envahir ses bras, ses épaules, son cou. Jusque sous les cheveux. Dans le halo de la lampe, il restait figé devant la feuille. Le reste du salon était plongé dans l'obscurité. Il avait terriblement envie de relever la tête et de regarder autour de lui. Il n'avait rien entendu, mais il sentait une présence. Il y avait quelqu'un... Quelqu'un qui l'observait.

Tout près de la chaise où se tenait Clement, sur le sol, était posé un bouton électrique relié à un fil, qui passait sous la fenêtre. Clement dut se tourner à demi sur son siège pour atteindre le commutateur du bout de sa botte. Une lampe chromée, dissimulée dans les branches d'un ficus, illumina la pièce. A un mètre à peine de l'arbuste, tout près de la fenêtre, Raymond Cruz était assis dans un fauteuil.

— Bon Dieu ! lâcha Clement, qui fit aussitôt une boule de la feuille de papier.

— Je l'ai déjà lue. J'en ai même écrit une partie.

Clement était toujours à demi tourné. Le bureau et le Walther se trouvaient à sa gauche, maintenant.

— C'est vous qui m'avez délivré ?

Raymond hocha la tête.

— Vous avez changé d'avis après le dîner, hein ?

— Ouais, j'ai réfléchi. C'était pas comme ça qu'il fallait faire.

— Je croyais que vous alliez ouvrir la porte, pour me faire signer une déclaration. En me menaçant de m'enfermer là-dedans pour de bon.

— Je ne veux pas de déclaration.

Clement lui lança un regard méfiant.

— Ah ouais ? Alors qu'est-ce qu'on fout ici ?

Raymond se leva. Comme il s'approchait du bureau, Clement pivota sur sa chaise, pour que Raymond et le revolver soient sur la même ligne, en face de lui.

— J'ai quelque chose à te montrer, fit Raymond en portant la main à la poche de sa veste. Pas de panique.

Sous les yeux de Clement, cloué à son siège, il sortit le colt 9 mm qu'il posa sur le bureau.

— Chacun le sien, ça te va ?

Paupières à demi closes, Clement ébaucha un sourire.

— C'est pas une blague ?

— Lève-toi.

— Pour quoi faire ?

— Tu seras mieux. Allez...

Clement hésitait. Du calme, surtout pas de faux mouvement. C'était vrai, pourtant, il serait plus avantagé debout. Il se leva, repoussa la chaise. Ils se tenaient tous deux l'un en face de l'autre, séparés par le bureau.

— Pose la main sur le bord du bureau, ordonna Raymond. Comme ceci. Bon, dès que tu es prêt, tu prends ton revolver. Ou dès que je suis prêt.

— Non, mais vous m' prenez pour un cinglé, ou quoi ? J' sais même pas si ce machin est chargé.

— Tu as regardé, dans la chambre. Je t'ai entendu. Si tu veux vérifier une seconde fois, vas-y. Il manque les deux balles qu'on a utilisées pour les examens balistiques, c'est tout.

Clement resta bouche bée.

— Vous avez pris le flingue à Sweety, vous l'avez examiné, et vous l'avez *remis* ?

— Oui, sans rien trafiquer. Si tu ne me fais pas confiance, on peut échanger. Prends le mien, ça m'est égal.

Le visage de Clement était totalement dénué d'expression. Il avait l'air d'écouter, mais d'être en même temps perdu dans ses pensées.

— C'était ton idée, tu te rappelles ?

— J' vous crois pas, vous êtes pas sérieux. *Ici* ? On est trop près.

— On peut aller dehors, ou monter sur le toit. Tu préfères sortir ?

— Non, bordel, j' veux pas sortir. J' sais pas ce que vous avez derrière la tête, mais vous êtes en train de combiner quelque chose, hein ? Vous voulez me foutre la trouille pour me faire signer une déclaration. Hé ben, il faut que vous ayez l'esprit tordu pour vous y prendre comme ça !

— Je ne veux pas de déclaration, je te le répète. Si tu signes des aveux, une fois devant le tribunal, tu prétendras avoir agi sous la menace ou la contrainte. Comme ça, au moins, c'est réglo. Non ? C'est toi-même qui a suggéré que nous fassions un concours de tir. Eh bien, allons-y.

— On prend et on tire, c'est ça ?

— Non, attends. J'ai une meilleure idée. Tiens ton revolver à côté de toi, allez. Oui, ce sera mieux.

Raymond avait pris le sien, canon pointé vers le sol, bras tendu le long de sa jambe. L'arme se trouvait ainsi plus bas que le bureau.

— Ouais, c'est mieux. Comme ça, quand on le lève, il faut éviter le bureau, et il y a moins de chances qu'on se tire dans les couilles.

— Hé, ça suffit, les conneries.

— Bon, fais comme tu voudras. Si tu préfères laisser le tien sur le bureau...

Voyant que Raymond attendait patiemment, Clement avança une main hésitante vers le Walther. Puis le saisit par la crosse et le ramena vers lui.

— Ça alors, c'est la meilleure, dit-il.

— Bon, tu es prêt ? Quand tu voudras.

— Minute ! jeta Clement.

Dans un silence de mort, les deux hommes se dévisageaient, à un mètre l'un de l'autre.

— J'AI DIT MINUTE !

Le silence retomba.

— Qu'est-ce qui ne va pas, Sauvage ?

Clement reposa le Walther sur le bureau.

— Vous êtes complètement cinglé, fit-il en reculant.

Sous l'œil impassible de Raymond, il contourna le divan, traversa le coin-salle à manger.

— Est-ce que vous vous rendez compte qu'on pourrait être tués *tous les deux* ? lança-t-il de la cuisine.

S'il revenait dans le salon par le même chemin, il déboucherait sur la droite de Raymond. S'il passait par l'entrée, sur sa gauche. De toute façon, ça revenait au même. Raymond se déplaça vers la fenêtre. Après un rapide regard à la ville illuminée, il tourna le dos à la vitre. De nuit, avec les lampes allumées, l'appartement avait un aspect plus agréable. Pourtant, Raymond n'appréciait toujours pas l'assemblage des couleurs vertes et grises.

— C'tait intéressant, cette conversation qu'on a eue dans vot' bureau. Ça m'était jamais arrivé de discuter de ça avec un flic. On s'est compris tous les deux, pas vrai ?...

« Il va ressortir avec quelque chose dans la main », songea Raymond.

— ... Ouais, c'était marrant. Ça fait pas de mal de r'venir à l'essentiel de temps en temps. Enfin, pour des types comme nous. Vous voulez boire quelque chose ?

« Ça y est, c'est reparti », se dit Raymond, qui ne répondit pas.

— Vous vous plaindrez pas que j' vous ai rien offert ! Y'a du Chivas. Ah non, plus de Chivas. On a tout descendu. Une bière, ça vous dit ? Alors, c'est non ? Qu'est-ce qu'y a, pourquoi vous dites plus rien ?

« C'est à lui de jouer, maintenant », songeait Raymond. Tenant toujours le colt 9 mm à son côté, il gardait les yeux braqués sur la salle à manger. Puis, lentement, il déplaça son regard le long du mur de la cuisine jusqu'à l'entrée. Clement continuait son monologue.

— Vous voyez, après qu'on a eu bavardé, j' me suis dit, vous et moi, on est pas du même bord, mais dans le fond on se ressemble pas mal...

« Il essaye de t'endormir... »

— ... Pas vrai ? J' vous avais pris pour un type pas rigolo, mais j' vois qu' vous avez le sens de l'humour...

Clement apparut dans l'entrée, une bouteille de bière dans chaque main.

— Bon, c'est p'têt un sens de l'humour un peu spécial, reprit-il en s'approchant du bureau, mais on est c' qu'on est, hein ? Chacun son style...

Il posa la bière qu'il tenait dans la main droite sur le bureau, à trente centimètres environ du Walther. Ses doigts s'attardèrent sur la bouteille.

— J' vous ai apporté une bière, au cas où...

Lentement, avec précaution, la main recula vers la veste en jean.

— J' dois avoir un tire-bouchon sur moi, quelque part. D'accord, l'ami ? J' veux seulement chercher mon décapsuleur.

Il baissa les yeux. Glissa la main sous la veste.

Raymond tendit le bras, revolver au poing. Au moment où Clement relevait les yeux, Raymond tira. Sans détourner le regard. De nouveau (le bruit était assourdissant), sans ciller. Encore une fois... Clement fut plaqué contre le divan, le choc faillit le projeter par-dessus. Il s'effondra sur les coussins, où il demeura immobile (à ses pieds, la bouteille de bière répandait sa mousse sur le sol), une main à sa poitrine, l'autre sur son ventre, comme s'il cherchait à retenir sa vie, les yeux grands ouverts sous l'effet de la stupeur.

— Vous m'avez tiré dessus, dit-il. Bon Dieu, vous m'avez tiré dessus.

Raymond s'approcha de lui. Penché en avant, il écarta doucement les mains de Clement, dégagea un objet de sa ceinture, sous la veste. Se redressant, il contempla le manche en corne d'un tire-bouchon. Il retourna au bureau, posa le tire-bouchon à côté du Walther, décrocha le téléphone, et composa un numéro qu'il connaissait par cœur depuis quinze ans. Tandis qu'il attendait la communication, il rangea le colt dans son holster. Une voix résonna dans le combiné. Raymond déclina son identité, donna l'adresse, puis raccrocha.

Clement le fixait de ses yeux déjà vitreux.

— Vous avez appelé une ambulance ?

— Non, j'ai appelé la morgue du comté de Wayne.

Hébété, sans un battement de paupières, Clement le regardait toujours. Les bruits assourdis de la ville, dans le lointain, parvenaient aux oreilles de Raymond.

— Ça alors... Pourquoi vous m'avez tué ?

Raymond ne répondit pas. Demain, peut-être, il trouverait... Puis, prenant le tire-bouchon sur le bureau, il examina la fine pointe recourbée, et se mit à curer l'ongle de son index droit.

Achevé d'imprimer en décembre 1995
sur presse CAMERON
par Bussière Camedan Imprimeries
à Saint-Amand-Montrond (Cher)

N° d'édition : 3314/6. N° d'impression : 1/2881.
Dépôt légal : janvier 1996.
Imprimé en France